自然、文化、そして不平等

国際比較と歴史の視点から

NATURE, CULTURE & INÉGALITÉS
Une perspective comparative et historique

Thomas Piketty

トマ・ピケティ

村井章子 訳

文藝春秋

自然、文化、そして不平等

――国際比較と歴史の視点から

目次

2022 年 3 月 18 日 講演録

本稿は、2022 年 3 月 18 日にケ・ブランリ＝ジャック・シラク美術館で行われた講演の原稿を加筆訂正したものである。講演は民族学会の招きで行われた。

自然の不平等というものは存在するか？

平等への長い歩み

不平等を生む体制は、その歴史的変遷も含め、社会によってじつにさまざまである。よって、社会的経済的な不平等の構造や度合いもまちまちだ。こうしたちがいを理解するためには、重要な役割を演じているのが人類の歴史と文化である点に注意を払わねばならない。不平等は、社会によって顕著に異なる経済、政治、文化、文明、宗教の移り変わりと密接に結びついている。今日私たちが目にする社会的不平等のさまざまなちがいや度合いや構造は、広い意味の文化で説明することができる。いや文化以上に、参政権をはじめとする政治参加のほうが大きな原因だったかもしれない。その一方で、「自然」の要因、たとえば個人の能力であるとか、天然資源などに恵まれているといったことが果たす役割は、思うほど大きくない。

ここで興味深い例として、スウェーデンに注目したい。スウェーデンは世界で最も平等な国の一つとみなされている。そして一部の見方によれば、その原因は時代を超えた国家の特質にあるという。つまり、「生まれながらにして」平等を好む文化があるというのだ。だが実際にはスウェーデンは長い間ヨーロッパで最も不平等な国の一つだったし、後述するように不平等な政治運営にかけて非常に巧みでもあった。しかし一九三〇年代に入ってすぐ社会民主系の政党が政権をとり、国民の政治・社会参加の枠組みが定まる中で、この状況は急速に変わっていく。社会民主主義を掲げるこの政党（スウェーデン社会民主労働者党）はそれから半世紀にわたって政権を担い、スウェーデンはそれまでの政権とはまったく異なる政治綱領の下で能力を発揮することになった。

　こうした経過を知ると、スウェーデンは決定論的な考え方をみごとに退けた好例だと言うことができよう。決定論は自然や文化的要因を重視し、この社会は永久に平等であるとか、あの社会（たとえばインド）は永久に不平等であるなどと決めつける。だが社会や政治の構造は変化するものだ。ときには、同時代の人々の予想を大幅に上回るスピードで変化することもある。体制の勝者である支配層は、不平等を定着させ、あたかも永続的なもののようにふるまい、自分たちにとって快適な調和を脅かすような変化を警戒する姿勢を片時も崩さない。だが現実は彼らが思うよりずっと流動的で、永遠に再構築を繰り返す。現実は、権力闘争や制度上の妥協や未実現の選択肢の結果なのである。

だが不平等を生む体制が社会によってどれほど異なるとしても、過去数世紀にわたって基調的な流れはあった。それは、社会的な平等へと向かう底流である。この流れは歴史の中に位置付けられるものではあるが、新石器時代や中世といった遠い昔に始まったわけではない。フランス革命の勃発した一七八九年、あるいは一般に一八世紀末という特定の時期に水脈が現れ、政治的・社会経済的平等の実現をめざして勢いを増していった。

平等への歩みは細々としてためらいがちで混乱しており、そこでは社会的な闘争がきわめて重要な役割を果たしてきた。また、広く社会における研究や学習も寄与している。私は著書『資本とイデオロギー』（二〇一九年）の中で、公平な制度のあり方について、とりわけ境界の問題と所有権の問題についてもっと深く考える必要があると指摘した。自分が属す社会あるいは共同体の境界はどこにあるのか。その枠内で政治権力と政治制度をどのように組織するのか。所有権の限度と範囲を決める社会的なルールはどうなっているのか。何を所有する権利があるのか。所有者であるとは何を意味するのか。

境界と所有権という二つの重要な問題をめぐっては、しばしば紛争や移転が起きてきた。どの国も、他国の過去は忘れてしまっても自国の過去からは学ぶものだ。だから結局のところどの国も、平等へ向かう長い学びの道のりの中にいる。その歩みは迷いながらであったり、たびたび後戻りしたりはしても、ともかくも平等へ向かっている。

ここまでは不平等を生む体制が社会によって大きく異なること、それでもなお細いながらも平等に向かう流れが続いてきたことをお話ししたが、自然、文化、不平等の間にはまったく別の種類の関係性が存在することを忘れてはならない。それは、自然破壊、生物多様性の危機、地球温暖化、二酸化炭素排出の問題である。これについては、講演の最後でくわしく取り上げる。今後数十年にわたり、この問題はますます重要になるだろう。問題の解決には、これまでに実現された以上の平等の深化が必要になる。不平等の大幅な解消なくしては、また現在の資本主義システムとはまったく異なる新しい経済システムの出現なくしては、気候変動問題を解決することはできないだろうし、自然と人間の共存も不可能だろう。その新しい経済システムを私は「民主的でエコロジカルな参加型社会主義」と呼んでいるが、もちろんちがう名前をつけていただいてかまわない。きっと別の名前が発明されることだろう。いずれにせよこれらの難題に取り組むには、経済システムの修正とその長期的な進化について改めて議論することが欠かせない。

不平等および不平等を生む体制の歴史的変遷

以下で取り上げる数字やグラフは、一部は著書『平等の短い歴史』（二〇二一年）から、一部は世界不平等データベース（World Inequality Database）（ＷＩＤ）から引用したものである。毎年発表される『世界不平等レポート』はこのデータベースに基づいており、最新版の二〇二二年のレポートが発表済みだ。ＷＩＤは世界各国の不平等に関するデータを収集・格納しているが、これは世界の一〇〇人以上の研究者の共同作業の成果である。おかげで、三世紀以上の長期にわたる所得および資産の分布状況とその変遷を知ることができる。

不平等に関する研究自体にも長い歴史があり、私は古くからの研究を受け継いでいるに過ぎない。この分野の研究者のほんの一例として、フェルナン・ブローデル、エルネスト・ラブルース、アドリーヌ・ドーマール、フランソワ・シミアン、クリスチャン・ボードロ、ジル・ポステル＝ヴィネなどを挙げることができる。フランスには、歴史学者、社会学者、経済学者が賃金、所得、利益、土地、相続財産に関するデータを収集するすばらしい伝統が二〇世紀初頭から続いていた。私が研究に取り組み始めた頃には、データがデジタル化され、知識の蓄積がはるかに容易になっていたのはじつに幸運だった。そのことは、ラブルースやドーマールの研究を読むとひしひしと実感できる。なにしろ当時はデータ収集が手作業で行われており、紙の資料がありとあらゆるスペースを占領する状態だった。たとえば相続財産に関するデータは、パリや地方の公文書館でカードに書き写さなければならない。大変な骨折りだが、残念ながら後に続く研究者に十分に活用された形跡はない。この種のいわゆる時系列データが姿を消したのは、一つには収集自体の実行と記述に研究者のエネルギーの大半が吸い取られ、データに伴う物語を見失いがちだったからである。言うまでもなく今日では収集作業はずっと容易になり、広範囲の比較も体系的な蓄積も可能になっている。

長期にわたる研究対象に二〇世紀を明確に組み込む場合、どうしても歴史、とくに政治の歴史を分析の中心に位置付けなければならない（第一期の時系列データは一八世紀と一九世紀が中心だったため、こうした問題は起きなかった）。一八～一九世紀に注目する場合には、政治動向とは無関係に何か強い趨勢の存在を想像することが、あるいは可能かもしれない（私に言わせればそれは誤りだが）。だが二〇世紀となると、賃金や所得や資産のグラフを描いたとたんに具体的な状況が思い浮かぶ。第一次世界大戦、第二次世界大戦、（フランスの）国土解放、一九六八年の五月革命……という具合に。ごく身近に起きた歴史の断絶を説明するためには、政治の歴史をも研究対象に含めなければならない。ただし政治の歴史すべてではなく、国や共同体の制度構築のみを対象とすることをここでお断りしておく。一部の研究者は戦争やペストの大流行といった悲劇的な出来事が平等を生み出すと主張するが、私はその見方に与しない。実現にフランス革命について言えば、戦争は革命を妨げた。また多くの国で、第一次世界大戦と第二次世界大戦は平等の進展にほとんど影響を与えなかった。結局のところ、平等の実現は制度構築と機会の創出に懸かっているのである。たとえばスウェーデンでは、二つの世界大戦は平等の進展にほとんど寄与しなかったが、政治や社会への参画が状況を変えた。アメリカでは、公共政策の実行で重要な役割を果たしたのは、第一次世界大戦よりも一九三〇年代の経済危機だった。これから述べるように、変化の真の原動力となったのは、参政権をはじめとする市民の政治・社会参加であり、また制度を構築し機会を創出する国家の能力であった。

データの収集作業に話を戻そう。先ほど述べたように、私は研究者の国際的なネットワークに支えられたすばらしい知的環境で研究に着手する幸運に恵まれた。もちろんＷＩＤに協力する研究者たちもネットワークに参加している。おかげで比較や歴史的検証の範囲を広げ、きわめて多様な不平等の体制に注目しつつ、平等への細々とした歩みにも目を配ることができた。

以下の章では、広く世界に存在する不平等の状況をまず理解していただくために、非常にわかりやすい基準として最初に所得分布を取り上げ、調査結果を示すことにする。次に、資産の分布を取り上げる。ここで、両者のちがいを説明しておこう。所得とは、一年間に得る収入のことである。働いて得る収入もあれば、家賃、利息、配当など資産から得る収入もある。これに対して資産とは、個人用住宅、事業用資産、証券類など、所有している財産である。資産の分布は、つねに所得分布より大幅に偏る。

資産の所有は力関係をも決定づける。このことは、事業における事業用資産や生産手段の所有にも、個人や世帯における住宅や再生産労働環境の所有にも当てはまる。また形態は異なるものの、公的債務を通じた国家および公権力の所有にも当てはまると言ってよい。

所得格差

では、所得から始めよう。ここでは、上位一〇％の所得がその国の所得全体に占める比率という比較的単純な指標を見ていく。完全に平等な社会では、定義からして所得上位一〇％は人口の一〇％を占め、その所得が全体に占める比率も一〇％になるはずだ。対照的に完全に不平等な社会では、上位一〇％がすべての所得をさらってしまい、全体に占める比率は一〇〇％になる。もちろん、現実はこの両極端の間のどこかにある。

図1には、上位一〇％の所得がその国の所得全体に占める比率を五段階に区分して示した。比率が最も低い、すなわち平等に近いのは北欧で、二〇〜三〇％だった。最も高いのはアフリカ南部で、この地域には比率が七〇％に達する国もある。この図を見るだけでも、不平等の度合いに大きな差があることがおわかりいただけよう。

世界を俯瞰して、所得格差が最も小さい地域はどこで最も大きい地域はどこかを見

図1　上位10％の所得がその国の所得全体に占める比率別の世界地図（2022年）

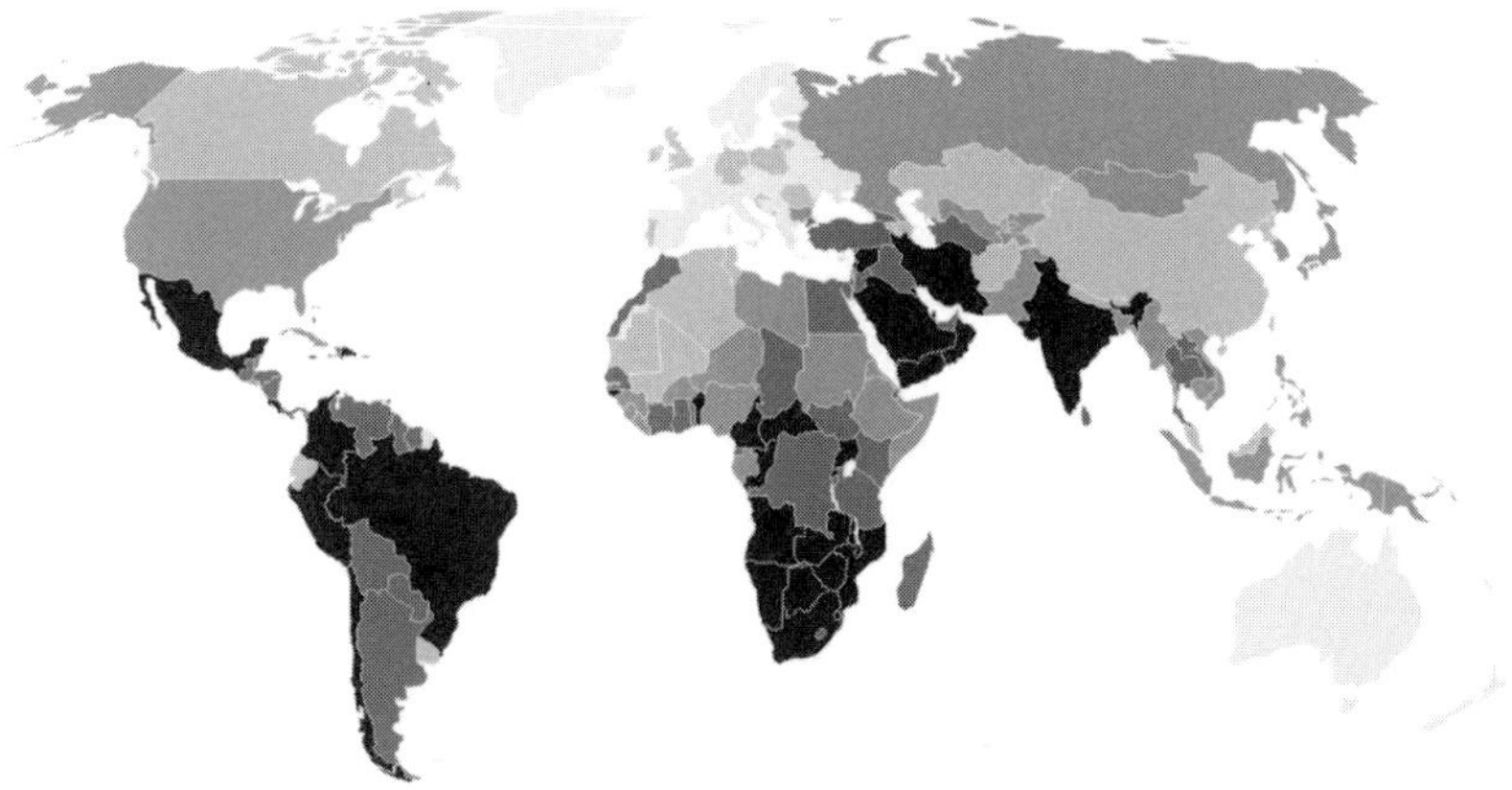

ようとしたら、同じ地域内でも大きなばらつきがあることにまず気づくだろう。たとえば南米では、アルゼンチンの所得格差はブラジルやチリより小さい。この国の社会・政治の歴史や、一九四三年のクーデターを経て四六年に大統領となったファン・ペロンの下、近隣国より筋の通った社会保障重視の国家建設に着手したこととおそらく関係があるのだろう。ただし地域によっては、全体として不平等なところもある。アパルトヘイトの負の遺産を受け継ぐ南アフリカ共和国をはじめ、アフリカ南部は全体的に不平等だ。南米も全体として富の格差が大きい。これはスペインの植民地だったこととその後の政治体制と関係があるだろう。北米も人種差別による不平等が残っている。一般に、不平等の状況には植民地時代の負の遺産が色濃く認められる。

一方、中東のような地域も不平等の度合いが大きいが、こちらは過去の人種差別や植民地支配とは関係がない。原因は現代にあり、とくに石油の利権が大きい。石油の利権が莫大な金融収入につながり、その分布は極端に偏っている。以上のように、不平等の現在地にいたるまでには古い要因と新しい要因がそれぞれに異なる論理に従って作用してきた。

所得格差を示す指標は、次ページの図を見るとより衝撃的だ。図2には、下位五〇％の所得がその国の所得全体に占める比率を示した。ここでもまた、数字の意味を意識する必要がある。完全に平等な社会では、下位五〇％の所得が全体に占める比率は五〇％になるはずだ。対照的に完全に不平等な社会では、下位五〇％はまったく所得がないことになる。実際には、最も不平等な国（たとえば南アフリカ）では五～六％、最も平等な国（またしても北欧である）では二〇～二五％だった。五〇％に達することはまずない。下位五〇％の所得が全体に占める比率が二五％だということは、下位五〇％の平均所得はその国の平均所得のほぼ半分だということを意味する。これはたしかに格差の存在を意味する。しかし、下位五〇％の所得が全体に占める比率が五％の場合には、彼らの平均所得はその国の平均所得の一〇分の一になるのだから、これに比べればはるかにましと言えるだろう。

全体として、ここにも状況に大きなちがいがあることに注意してほしい。ある国の国内総生産（GDP）や平均所得にばかり注目していると、その社会における社会集団の生活状況の実態を完全に見誤りかねない。というのも平均所得が同じだとしても、

図2　下位50%の所得がその国の所得全体に占める比率別の世界地図（2022年）

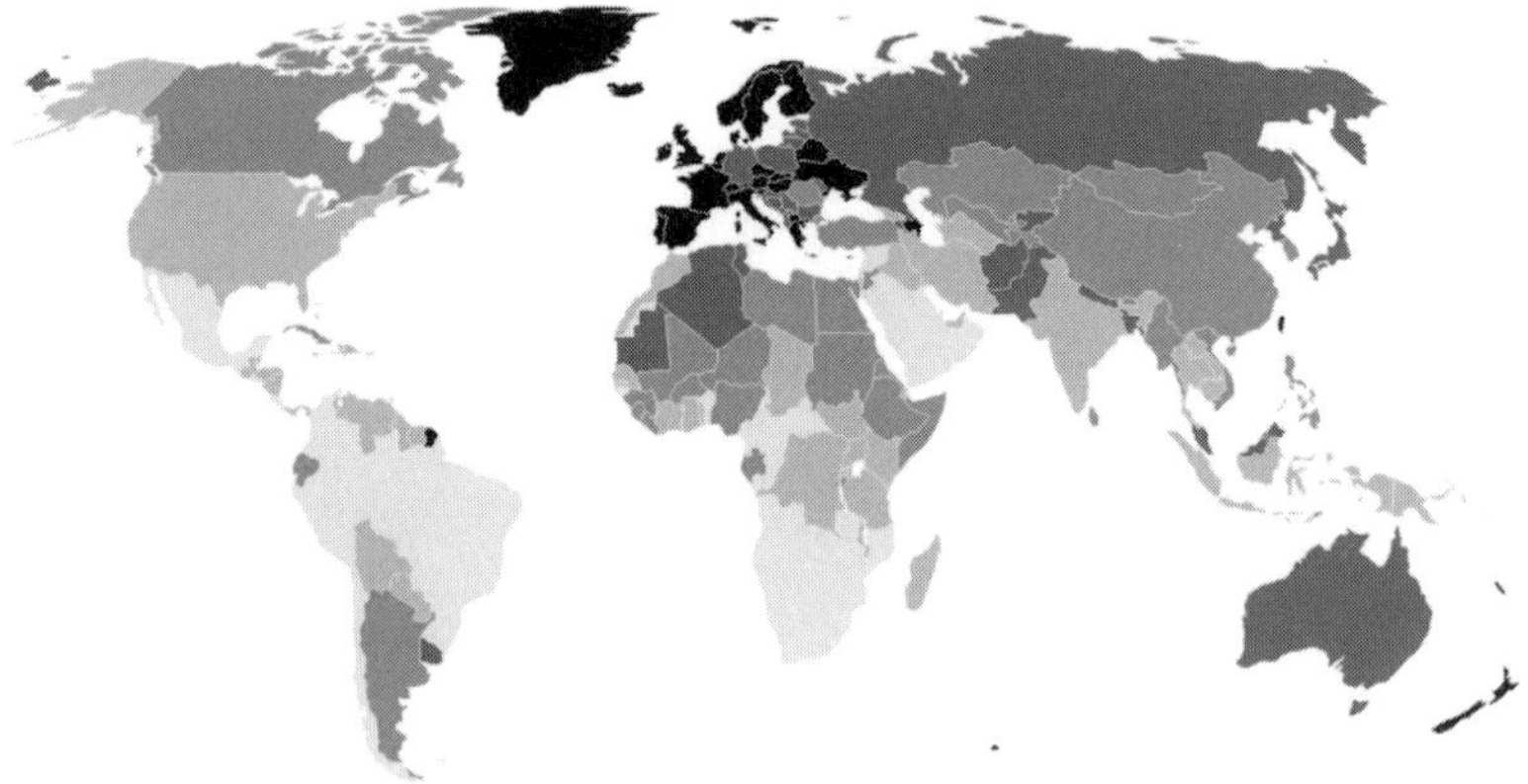

比率

5.3〜11.8%　12〜14%　14〜16%　16〜19%　19〜29%

下位五〇％の所得が全体に占める比率は、所得分布によって大きなばらつきが出るからだ。＊ それは最大で五倍にもなる（ごく単純化すると、南アフリカでは所得全体の五％、スウェーデンでは二五％である）。こうしたわけだから、貧困の推移を知りたいときに全体像を見ずに平均所得だけを見ていると、たくさんのことが抜け落ちてしまうことになる。

こうした所得格差のばらつきを「自然」の要因に帰すことは不可能である。この所得分布を個人の才能や資質や適性のせいにするわけにはいかない。個人の才能が国ごとにまさにこの通り分布しているとしたら、驚くべきことだ。また、天然資源のせいにすることもできまい。たとえば中東とノルウェーは石油を産出するが、両国の所得分布はまったくちがう。あらゆるデータからして、それぞれの社会が選んだ制度こそが不平等の度合いにこれほどのばらつきをもたらしたことはあきらかだ。そして制度

＊　ここではおおざっぱな数字を挙げているが、もちろん世界不平等データベースでは、百分位数、千分位数までこまかい数字を出すことができる。

自体を生み出したのは、社会・文化・政治・イデオロギーの歴史なのである。

資産格差

所得分布についてさきほど見てきたことは、ある一点を除けば資産の分布にもそっくり当てはまる。その一点とは、不動産、金融資産、事業用資産など資産の分布はつねに所得よりずっと偏っていることである。所得の場合、上位一〇％の所得が全体に占める比率は二五％（スウェーデン）から七〇％（南アフリカ）の間だった。だが資産になると、上位一〇％の資産が全体に占める比率は六〇～九〇％となる。また下位五〇％が全体に占める比率は、所得では五～二五％だったのに対し、資産は五％未満となる（図3参照）。

乱暴に言ってしまえば、下位五〇％の人々は全然資産を持っていないか、ほとんど持っていない。ヨーロッパ、とくにフランスでは、下位五〇％の資産が全体に占める比率はわずか四％である。それでも二％の南米よりはまだましかもしれない。いずれにせよ、人口の半分が持っている資産がきわめて少ないことに変わりはない。

図 3　資産の集中度、地域別（2021 年）

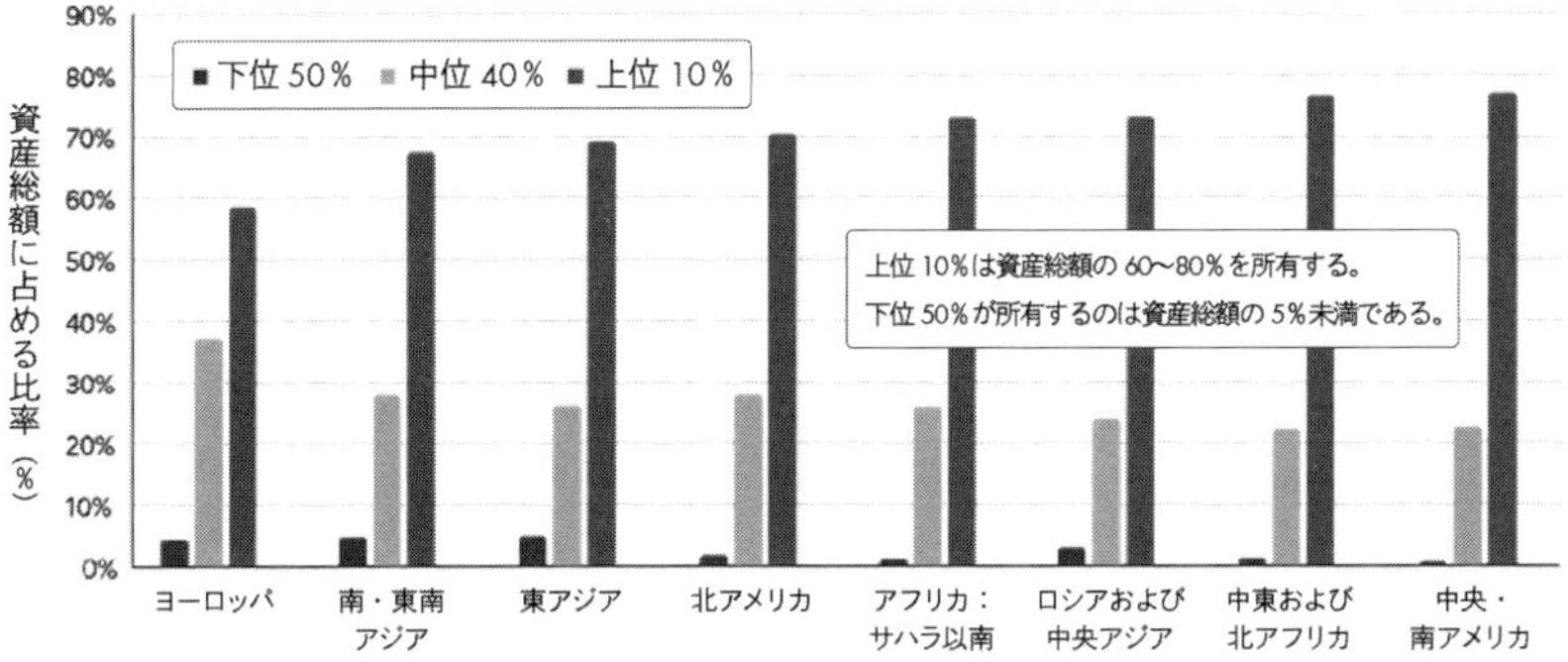

解説：中南米では、上位 10％が正味個人資産の 77％を所有するのに対し、下位 50％が所有するのは 1％に過ぎない。正味個人資産とは、個人が所有する固定資産（住宅、土地など）＋金融資産（株式、債券など）から債務を差し引いたものをいう。

資料：wir2022.wid.world/methodology.

いま挙げた数字を忘れないでほしい。というのも、不平等の世界地図といったものを作成すると、ヨーロッパ人とりわけフランス人は、自分たちの実現した平等にひどく自己満足する傾向がひんぱんに見受けられるからだ。さきほどの数字を頭に入れておけば、別の視点から見ることができるだろう。たしかに、平等をめざす歴史的な動きは存在したし、とくにフランスをはじめヨーロッパではその動きが世界の他の地域よりずっと力強かった。だが平等をめざす動きはけっして単独で起きたわけではなく、政治的・社会的な激しい闘争の中で形成されたものだ。それに、こうした動きが第一義的にめざしたのは所得の平等だったことを忘れるべきではない。所得は一世紀をかけていくらか平等になった。

だが資産の平等ということになると、ごくわずかな進歩しか見られない。一世紀前のフランスでは、下位五〇%の資産が全体に占める比率は二%で、今日の南米と同じ水準だった。一世紀かけて四%に上昇したことは進歩にはちがいないが、まったく不十分だし、全体として状況を変えるにはいたっていない。不動産、金融資産、事業用資産を含めた富は上位層に著しく集中している。事業用資産と生産手段に限れば、集中度は一段と高まる。上位一〇％が事業用資産の八〇～九〇％以上を所有しており、下位五〇％はほとんど所有していない。このようなしくみの社会では、経済力がつねに極度に集中するようになっている。後段で述べるように、富の再分配は上位一〇％とそのすぐ下の中位四〇％とを分ける格差には大きな影響を与えたが、下位五〇％にはほとんど効果はなかった。

ジェンダー格差

私たちは世界不平等データベース（ＷＩＤ）の枠組みで、世界の国や地域についてできるだけ比較可能なデータを収集する方法や情報源を開発しようと努力している。手始めに所得、次に資産の格差の実態を調査した。続いて取り上げたのが、ジェンダー格差である。ここでは、労働所得（賃金および賃金以外の報酬）の合計に占める女性の労働所得の比率という単純な指標を算出した。男女が完全に平等な社会であれば、女性の労働所得が全体に占める比率は五〇％になるはずだ。いや実際には労働時間を勘案すれば（当然ながらそこには家事労働も含まれる）、女性の労働時間は全体の五〇％をつねに上回る。よって理想的には、女性の労働所得の比率は五〇％を上回るべきだ。

だが実際には、図４に示したように、理想にはほど遠い。改善が見られた国はたしかにあった（たとえばヨーロッパでは、この比率は過去数十年で三〇％から三六％に上

図4　女性の労働所得が全体に占める比率、地域別（1990～2020年）

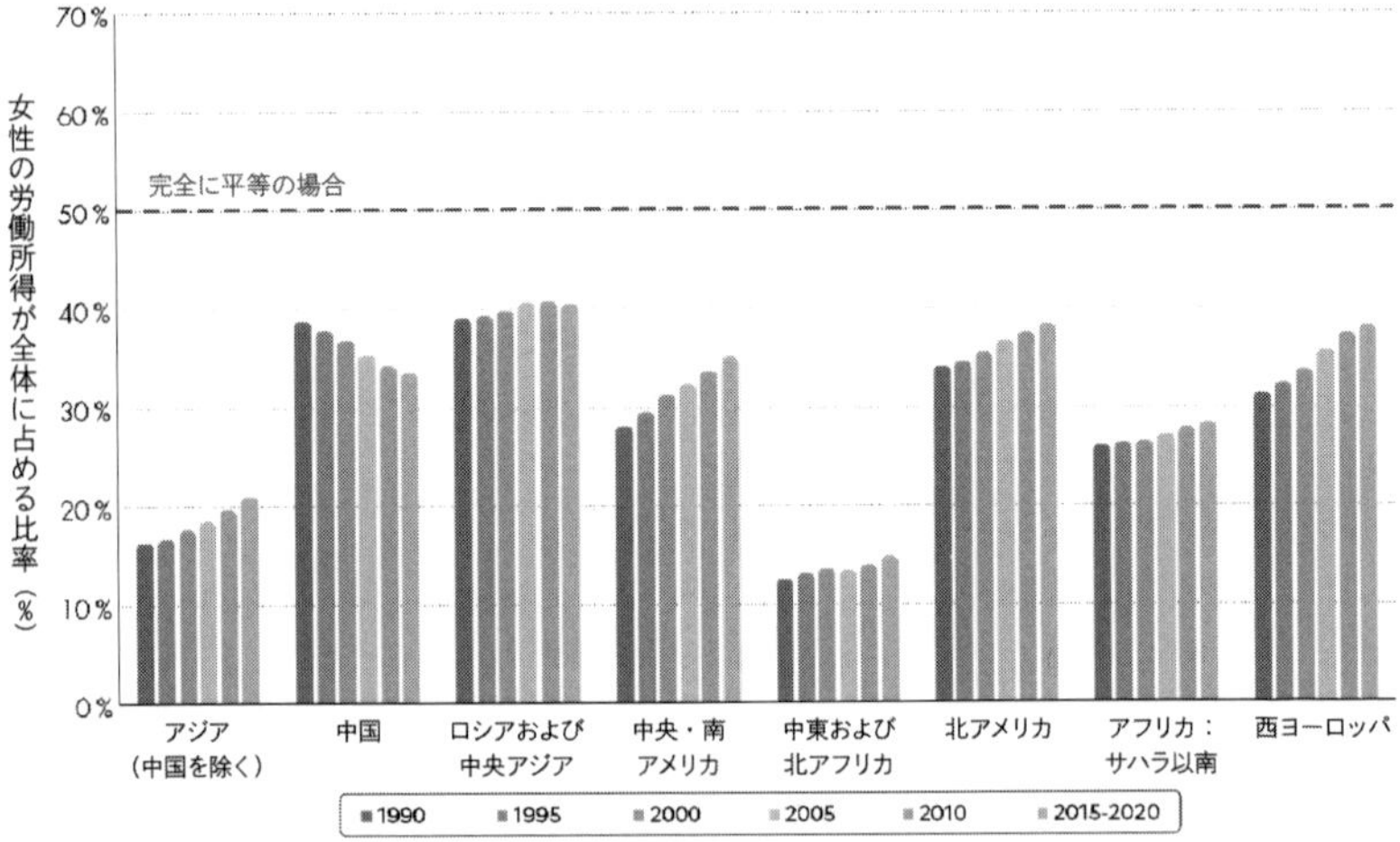

解説：1990～2020年に北アメリカにおける女性の労働所得の比率は34%から38%に上昇した。

資料：wir2022.wid.world/methodology et Neef et Robilliard (2021).

昇した。逆に言えば、所得合計の六四％は男性が手にしている）。その一方で、後退している国もある。たとえば中国は共産主義の伝統からか、他国よりいくらか女性の労働所得の比率が高かったのだが、ここ数十年で後退している。主な原因は、男性の高額報酬が大幅に増えたことにある。もっともこれは中国に限った現象ではない。

この種の指標には、実態を間接的にしか示せない他の指標に比べ、ジェンダー格差の大きさを正確に表せるメリットがある。ジェンダー格差を見るとき、同じポスト（地位、職階）での賃金格差だけを見て満足してしまうことが多いが、同じポストに就く機会が男女で同じではないことのほうがよほど問題である。今回注目するのは労働所得合計に占める男女それぞれの比率であり、そこに差がつく要因はじつにさまざまだ。あるポストにおける賃金格差もたしかにあるが、それは一〇〜二〇％程度に過ぎない。それ以外に、就けるポストに男女で差があること、パートタイム労働を強いられること、高報酬のポストに女性がいないこと、女性に昇進の機会が少ないこと、などの要因がある。

フランスでは、現在女性の労働所得が全体に占める比率は三五％である（したがって男性が六五％になる）。この比率は一九七〇年には二〇％だった。つまり、現在の南アジア、インド、中東とたいして変わらなかったわけである。比率がこの程度の場合、女性は購買力をほとんど持たず、お金の流れから取り残されたも同然になる。だからフランスはこの点でだいぶ進歩したとは言えるが、だからと言ってそれを過大に考えるべきではない。家父長制度的な経済システムは資本主義の発展と密接に結びついており、そこからの脱却はようやく始まったばかりだ。とは言え、この脱却の度合いにも国や地域によって大きなちがいがみられることは興味深い。このちがいも社会、歴史、政治のプロセスと深い関係がある。

ヨーロッパにみられる平等への歩みのちがい

ここで再び不平等の歴史的変遷に立ち戻ることにしたい。フランスは、所得や資産についての過去の統計が最もよく整備されている国の一つである。というのも、フランス革命のときに相続や資産の登記制度が導入されたおかげで、相続に関する記録が当時としては例外的にきちんと保管されてきたからだ。これらの記録は一八世紀末まで遡ることができる（図5、6参照）。

所得に関する限り、過去二世紀にわたり、とりわけ二〇世紀の間には、平等へと向かう傾向をはっきりと認めることができた。上位一〇％の所得が全体に占める比率は五〇％から三〇～三五％に下がる一方で、下位五〇％の比率は一〇～一五％から二〇～二五％に上昇している。とは言えこの変化は相対化してみることが必要だ。いま挙げた数字が示すとおり、下位五〇％の所得合計は上位一〇％のそれをあきらかに下回っている。しかし定義からして、下位五〇％の人数は上位一〇％の五倍なのである。

図 5　フランスにおける所得の分布（1800 ～ 2020 年）
平等へ向かう長い歩みの始まりか？

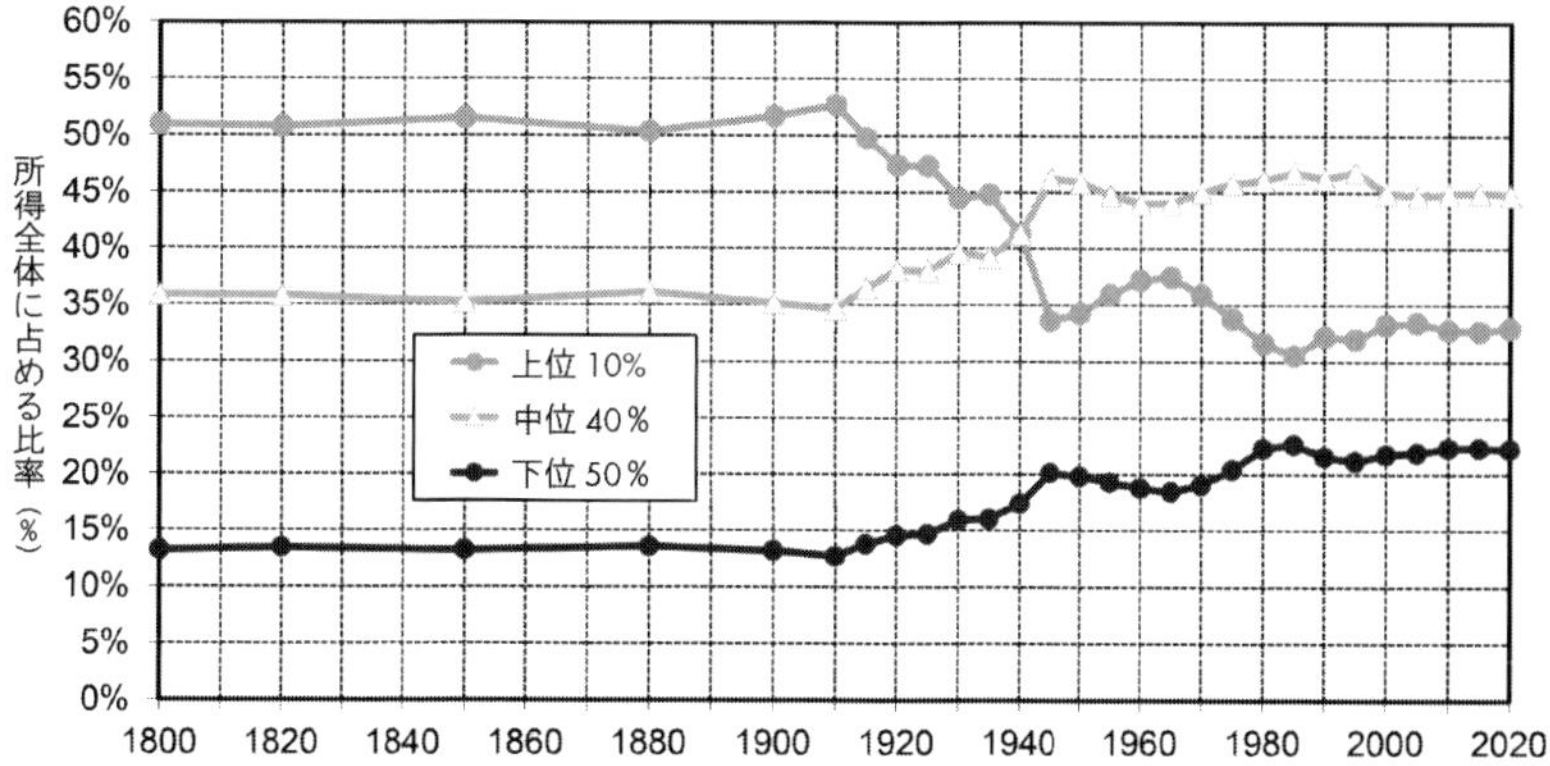

解説：上位 10％の所得（ここには、賃金・賃金以外の所得・年金・失業保険などの労働所得および、利益・配当・金利・家賃・キャピタルゲインなどの資本所得が含まれる）が全体に占める比率は、1800 ～ 1910 年にはおよそ 50％だった。2 度の世界大戦後には所得の集中度が顕著に下がり始め、上位 10％の所得の占める比率が下がる一方で、中位 40％と下位 50％の占める比率が上昇した。

資料：piketty.pse.ens.fr/egalite.

図 6　フランスにおける資産の分布（1780 ～ 2020 年）
資産中位層の出現

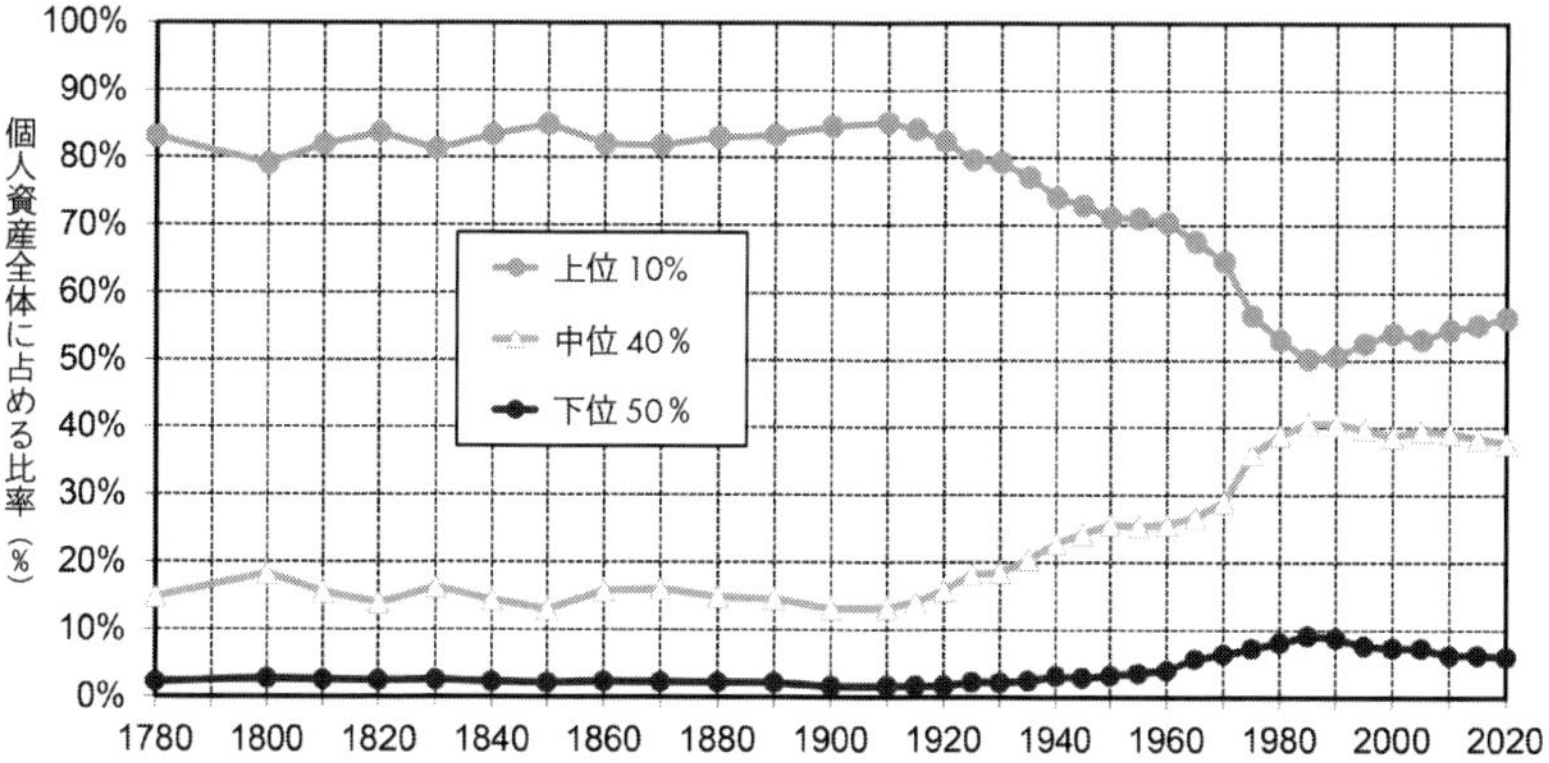

解説：上位 10％の個人資産（不動産・事業用資産・金融資産から債務を差し引いた正味資産）が全体に占める比率は、1780 ～ 1910 年には 80 ～ 90％だった。第一次世界大戦後には資産の集中度が下がり始めたものの、1980 年代初頭には上昇に転じる。この現象で主に恩恵を被ったのは、資産中位層（上位 10％と下位 50％の間に位置する層）である。

資料：piketty.pse.ens.fr/egalite.

不平等の度合いは資産の分布では一段と顕著になるうえ、平等への足取りも鈍い。なるほど上位一〇%の資産が全体に占める比率は、第一次世界大戦前の八〇~九〇%から、今日では五〇~六〇%に下がっている。しかし下がり続けてきたわけではなく、一九八〇年代からは上昇に転じているのだ。したがって、比率の長期的な低下は認めるにしても、その度合いを過大評価すべきではない。しかも、上位一〇%が所有する資産の比率の低下は、基本的にすぐ下の四〇%、すなわち上位一〇%と下位五〇%の間の層を潤しただけだ。下位五〇%は、過去二世紀における富の再分配の恩恵をほとんど受けていない。

まず、西欧三カ国（イギリス、フランス、スウェーデン）に注目しよう。これらの国の格差の推移はかなり似通っている。一九一三年から二〇二〇年までの間に、資産の集中度はいくらかやわらいだ（図7、8参照）。一九一三年と二〇二〇年のちがいはごくシンプルだ。「資産中位層」と私が呼ぶ層が出現したことである。この四〇%は、一九一三年の時点ではほとんど資産を所有しておらず、したがって下位五〇%と同じく貧しかった。つまり中位層は存在しなかったと言える。今日ではこの層が人口

図 7　ヨーロッパとアメリカにおける資産の極度の集中（1913 年、2020 年）

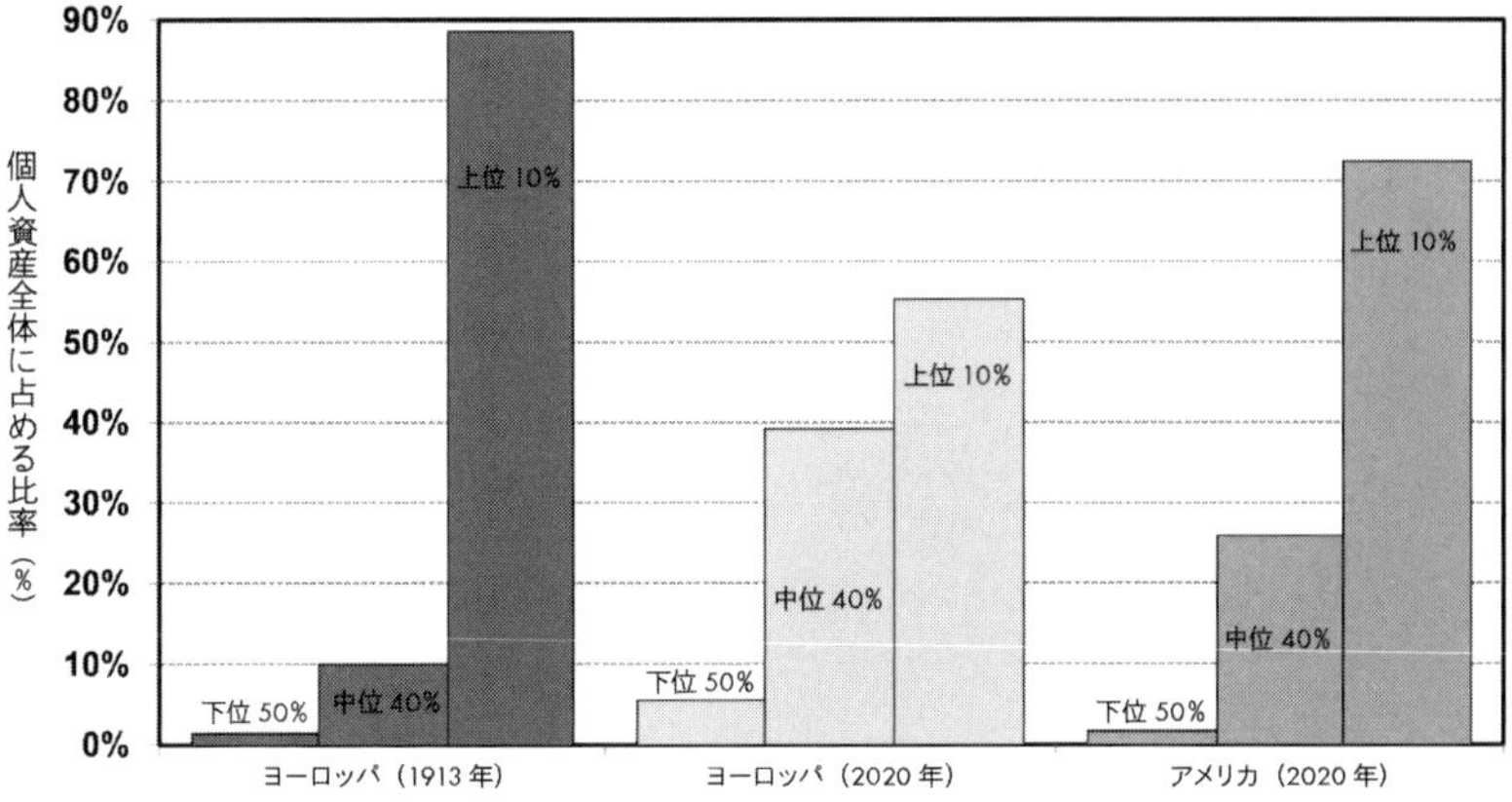

解説：上位 10％の個人資産が全体に占める比率は、1913 年のヨーロッパ（イギリス、フランス、スウェーデンの平均）では 89％に達していた（対照的に下位 50％の比率は 1％だった）。2020 年のヨーロッパでは、この比率が 56％まで下がる（下位は 6％になった）。同年のアメリカでは、上位 10％の個人資産が全体に占める比率は 72％だった（下位は 2％）。

資料：piketty.pse.ens.fr/egalite.

図 8　ヨーロッパ 3 カ国における資産の極度の集中（1880 ～ 1914 年）

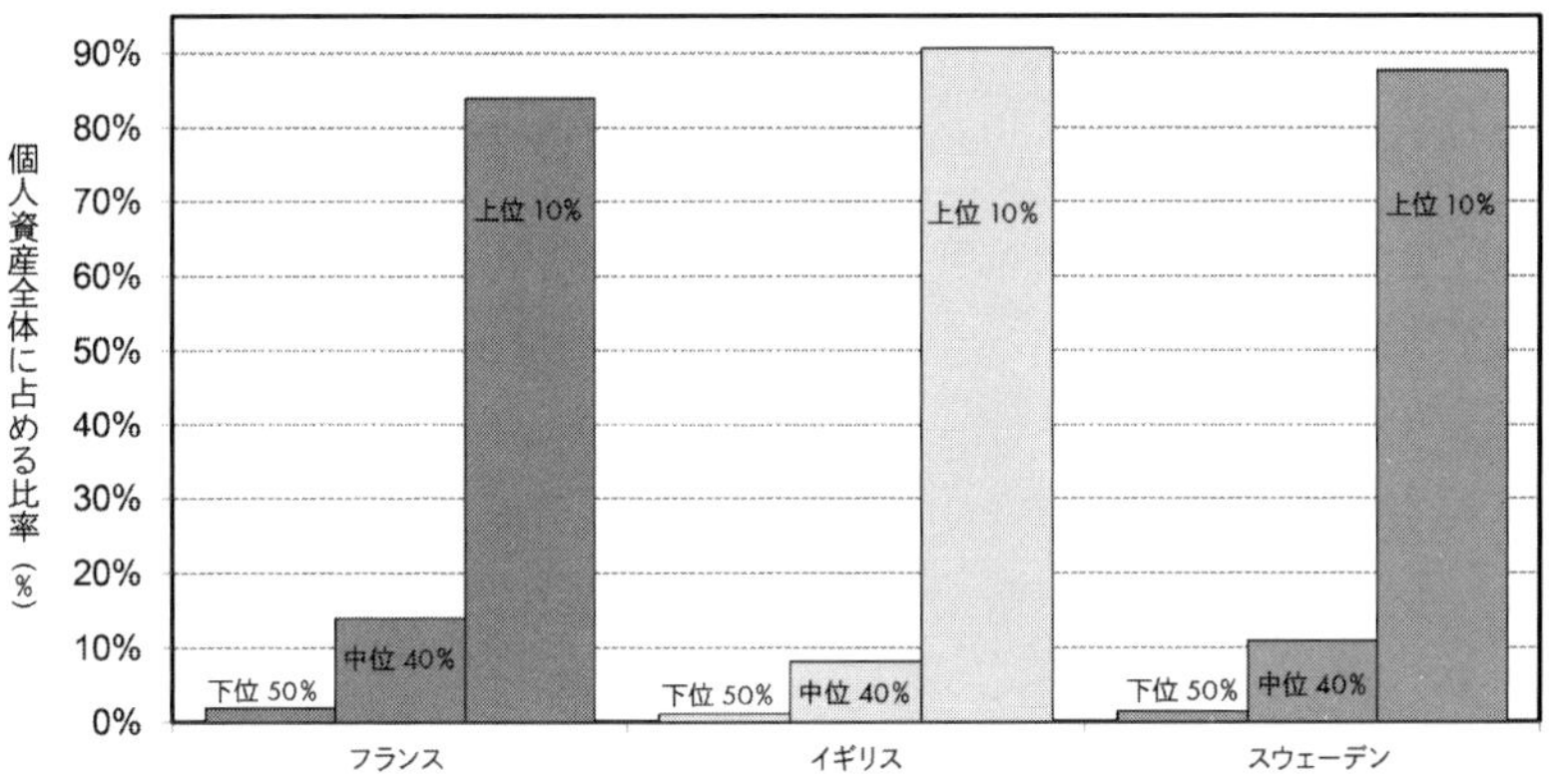

解説：上位 10％の個人資産が全体に占める比率は、1880 ～ 1914 年のフランスでは平均 84％だった（中位は 14％、下位は 2％）。同時期のイギリスでは 91％である（中位は 8％、下位は 1％）。スウェーデンでは 88％だった（中位は 11％、下位は 1％）。

資料：piketty.pse.ens.fr/egalite.

の四〇%を占め、資産全体の四〇%を所有している。中位層が所有する一人当たりの平均資産は二〇万ユーロである。世帯の保有資産でみると、中央値は一人当たり一〇万ユーロなので、世帯で保有する資産は一〇万~四〇万ユーロというところだろう。中位層に属す人々は非常に裕福というわけではないが、非常に貧しいとは言えないし、そう見られたくないとも思っている。このような層の出現は、経済、社会、政治面で大きな出来事だった。ただし下位五〇%は相変わらずほとんど資産を持つにいたっていない。

　このようにヨーロッパの状況は、資産の極度の集中が続くと同時に、資産中位層が出現したことが特徴である。アメリカの状況は、現在のヨーロッパと第一次世界大戦前のヨーロッパの中間と見ることができる。アメリカの資産中位層は三〇~四〇年前のヨーロッパの水準に近かったが、現在は縮小に転じており、むしろ第一次世界大戦前のヨーロッパの水準に近づきつつある。

　第一次世界大戦前のヨーロッパ各国における不平等の歴史からは、全体として学ぶところが多い。現代と比べて研究材料がずっと豊富で、私の研究者人生で得るものが多かった。同僚で友人のジル・ポステル＝ヴィネ、ジャン＝ローラン・ローゼンタールとの共同研究では、第一次世界大戦前のフランスにおける富の集中度がイギリスとさして変わらなかったことをデータで裏付けた。これはなかなか興味深い発見だった。というのも第三共和政（一八七〇〜一九四〇年）の政治論議では、イギリスとの比較が絶えず行われていたからである。当時のエリート層すなわち中央の政治家、銀行家、共和主義者たちがしきりに行った主張の一つは「われわれはイギリスとはまったくちがう」ということだった。「フランス革命によってフランスは平等主義の国になった。よってフランスは所得についても相続についても累進課税を導入する必要はない。イギリスのようにきわめて不平等な君主制の国や、プロイセンのような権威主義的な国には、累進課税は有効だろう。だがすでに自由と平等を実現したフランスには中小地主がたくさんいるし、土地の共同所有も行われている」と。ただし、富がほとんど分配されていなかったこと、一九一三年の時点では重要性の高い資産はもはや不動産ではなくなっていたことに注意が必要だ。イギリスの土地の集中度がフランスより高かったとしても、それはさほど重要ではない。当時の世界全体における金融資産投資あるいは産業資本の分布を見る限り、政体が共和制・君主制のいずれでも富の蓄積と集中にさしてちがいはないことがわかるからだ。要するにイギリスもフランスも集中度はかなり高かった。データからこの事実を突き止めたおかげで、第一次世界大戦前に行われた主張はおおむね偽善だったと、私たちは一世紀の歳月を経てあきらかにすることができた。とくにポール・ルロワ・ボーリュウら当時の経済学者は、フランスでは土地が中小地主に分割されていると誇らしげに主張していたが、それも真実ではなかったのである。

これらのデータは、当時すでに他の場面では活用が始まっていた。一九〇一年に累進相続税が法制化され、相続税がゆるやかな累進課税方式になったためである。このように税制など制度的なしくみが変わると、そのために必要な情報や知識が生成・収集され、活用されることになる。例えば政治家のジョゼフ・カイヨーは相続に関するデータを裏付けに、フランスにはけっして中小地主が大勢いるわけではないと下院で演説した。また一九一四年に所得税を導入する際にもこれらのデータが活用されている。もっともこのときフランスは国家存亡の危機に直面していたため、このことはほとんど注目されていない。なにしろフランスでは一九一四年七月一五日法（所得税法）が上下両院で可決されようやく所得税の導入が決まるのだが、この決定は西側諸国でフランスが事実上一番遅かった。可決されたのは、学校建設ではなく対独戦の資金調達が目的だったからである。状況を打開するには結局のところ所得税しかなかった。北欧、日本、イギリス、アメリカなどではフランスよりずっと前から所得税の累進課税制度が導入されている。フランスがこれほど出遅れた一因は、フランス革命による平等の実現に自己満足してしまっていたからだろう。

スウェーデンの例

ここでもう一つの興味深いケースとして、冒頭で触れたスウェーデンについてもうすこしくわしく述べたい。スウェーデンは、今日ではきわめて平等な国だとよく言われる。だが、二〇世紀初めの時点ではけっしてそうではなかった。ヨーロッパの国々はどこもひどく不平等で、スウェーデンはフランスとイギリスの中間という位置付けだったのである。ただしスウェーデンの場合、不平等の構造が英仏両国とはちがっていた。フランスもイギリスも植民地の存在が大きい。植民地の資産、つまり自国以外に保有する資産が両国の莫大な富の中で大きな割合を占めていた。スウェーデンの場合は、海外資産はごく少ない。その代わり、政治制度に関する別の要素が甚だしい不平等に寄与していた。

一八六五～一九一〇年のスウェーデンでは納税額に基づく巧妙な制限選挙制度が採用されており、第一次世界大戦までこれが続けられていた。他国と比べてかなり遅れていたと言わねばならない。イギリスなど他国は一九世紀の間に選挙権が拡大されたが、スウェーデンで投票資格があるのは最富裕層二〇％の男性のみだった。しかもこの二〇％の有権者の間でも納税額に応じて一票から一〇〇票まで権利が与えられるという、一段と偏ったしくみになっていたのである。裕福であるほど多くの票を投じられるというわけだ。それだけではない。国政選挙では一〇〇票が上限だが、地方選挙では上限がなかった。したがって数十の地方自治体では、たった一人の有権者が票の五〇％以上を握るということが起きた。この有権者は完全な民主政の下で独裁者になったわけである。スウェーデンの首相はほぼ例外なく貴族階級の出身で、地盤の選挙区では票の五〇％以上を握っているのがつねだった。

さらに第一次世界大戦までは、企業や法人も、その自治体に投じた資本と売上高に応じて地方選挙で選挙権を持っていた。今日の多国籍企業にしてみたら、なんとも羨ましい制度にはちがいない。彼らはしばしば別の方法で同じ結果を手にしてはいるが、ことさら要求しなくても選挙権が手に入るとなればたいへんなちがいである。

スウェーデンが第一次世界大戦までこのような政治制度を維持していたという事実

は、人間の社会が、というよりも支配層が、権力を維持するためには途方もない想像力を発揮して権利構造を設計してのけることを雄弁に物語っている。だがこのことはまた、すくなくとも不平等の度合いに関する限り、ある国や文化に関して決定論は成立しないことも示している。国家というものはごく短期間で変貌しうるのである。

二〇世紀に入るとスウェーデンは自国の抱える矛盾に直面する。私有財産を聖域化する政治制度と、歴史や宗教などさまざまな理由から他のヨーロッパ諸国よりずっと識字率の高い労働者階級とが共存できなくなったのである。スウェーデンの労働組合と発足まもない社会民主系の政党は、富裕層が過度に有利になっている現状を是正し均衡を取り戻さなければならないと確信していた。こうして参政権運動が強力に展開され、一九二〇年に普通選挙が実現する。社会民主労働者党が一九三二年の選挙で政権党となり、以後一九九〇年代〜二〇〇〇年代までほぼ切れ目なく政権を担当してきた。

その後は多党化や右翼政党の台頭などで政局は流動的となっており、スウェーデンの税制は革新性が薄れてきた。その理由として、狭くは租税面の真の国際協調に拒絶的であること、広くは資本主義を超越しようとする姿勢が乏しくなってきたことが挙げられよう。とはいえ一九三〇～八〇年の社会民主政権では、それまでの政権とはまったく異なる政策の実行に国家の能力が発揮されたことはまちがいない。納税記録や登記簿など所得や資産を示す記録類も、票の配分をするためではなく累進課税を適用するために活用され、税収は教育や医療へのアクセス拡大に充当された。完璧とは言えないにしても、従来とは打って変わった施策である。おかげでスウェーデンは他国より高い水準の平等を実現することに成功した。しかもわずか数十年で、大きな混乱もなく、主に参政権の拡大など国民の政治・社会参加によって成し遂げられたのである。

　ある国が本来的に不平等だとか平等だということはないと示した点で、スウェーデンの例は興味深い。肝心なのは、政権運営を担うのが誰か、何をめざすのかということである。この意味で歴史の歩みは、すくなくとも平等・不平等に関する限り、決定論的な見方を排除するものだと言えよう。

福祉国家の出現——教育への公的支出

二〇世紀における平等への歩みを理解するうえで、ヨーロッパで最も重要な要素の一つは福祉国家の出現である。この点に関しても国によって状況はまちまちだが、西欧四カ国（イギリス、フランス、ドイツ、スウェーデン）に関する限り、全体的な傾向はかなり似通っている。第一次世界大戦まで、これらの国の税収はGDP比一〇％を下回っていた。税収は基本的に、国内秩序の維持、財産権の保全、警察・司法の運用、植民地拡大に伴う国外への戦力展開の財源に充当され、国力維持と直接関係のない支出は最小限に抑えられていた。対照的に、第一次世界大戦が終結した一九一八年以降は税収が拡大の一途を辿る。そしてここ三〇年間は、これら四カ国の税収はGDP比四五％前後で安定的に推移している（図9参照）。

ここでは、平等の実現にとっておそらく最も重要な要素の一つである教育に注目したい。教育への公的支出は、第一次世界大戦前にはGDP比〇・五％にも満たなかっ

図9 ヨーロッパにおける福祉国家の発展（1870～2020年）

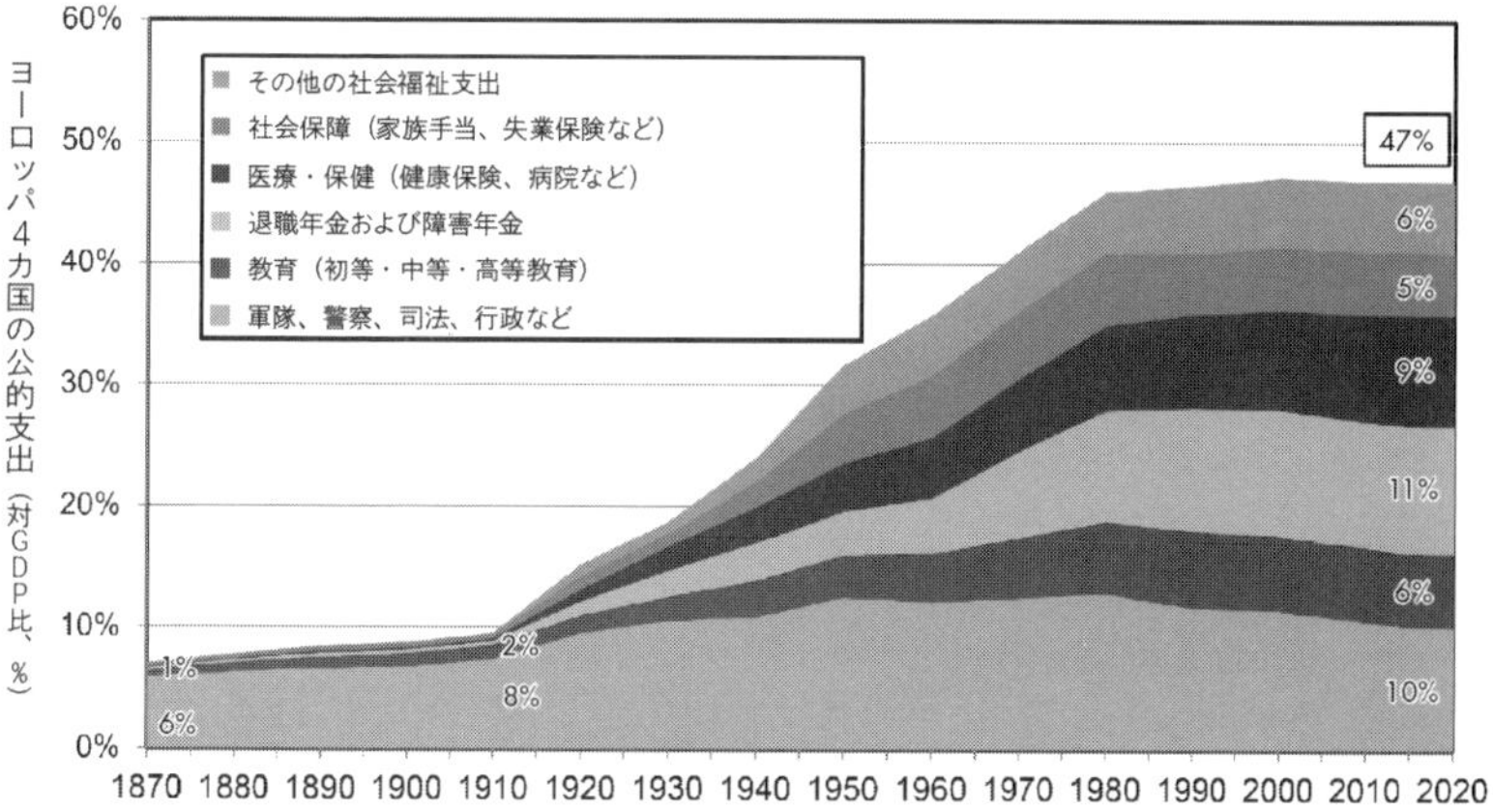

解説：2020年には、ヨーロッパ4カ国における税収は平均してGDP比47％だった。支出の内訳は、国力維持のための支出（軍隊、警察、司法、行政、インフラ、道路など）10％、教育6％、年金11％、医療・保健9％、社会保障（年金を除く）5％、その他の社会福祉支出（住居手当など）6％である。これに対して第一次世界大戦前は、税収の大半が国力維持のための支出に充当されていた。

注記：グラフに示したのは、ドイツ、フランス、イギリス、スウェーデン4カ国の平均である。

資料：piketty.pse.ens.fr/egalite.

たが、この一世紀の間におよそ一〇倍に増えている。第一次世界大戦前の社会は階級格差が甚だしく、初等教育以上の教育を受けられる子供はごく一握りに限られていた。しかも初等教育への公的支出は中等・高等教育に比べるとずっと少なかった。今日では、西欧四カ国の教育への公的支出は平均してGDP比六％に達している。

教育への公的支出の増加は個人の解放、社会の平等化、経済の繁栄を促し、格差を縮小すると同時に生産性と生活水準の向上に寄与した。私たちはこの事実に慣れすぎて忘れがちだが、教育支出のこの変化は、平等に向かう歩みにおいて重要な役割を果たしてきたのである。しかし残念ながら、一九八〇年代〜九〇年代より教育への公的支出は伸び悩んでいる。同期間中の高等教育進学率が伸びていることを考えれば、矛盾した動きと言わざるを得ない。なにしろ高等教育への進学者は一九八〇年代には該当年齢層の二〇％にすぎなかったが、今日では六〇％に達しているのである。となれば、学生一人当たりの公的支出は減ったことになる。フランスではここ一五年にわたって学生一人当たりの公的支出は減っており、とくに大学において、もともと予算の乏しい学問分野への支出削減が目立つ。

この状況は道理に合わないし、長年の進歩を断ち切るものでもある。その根本原因は、公的支出総額および税収総額は対GDP比でつねに安定していなければならないという政治的信念にある。この信念は一九八〇年代～九〇年代より定着してきた。たとえば医療や年金の支出が（全面的とは言えないが多少は必要に応じて）増えれば、他の支出を減らさなければならないという。教育支出は長年にわたってまさにこの憂き目に遭ってきた。福祉国家の予算規模を拡大すればこの矛盾を解消できるとしても、税の公正性や累進課税の面で、国内でも国際的にも新たな措置が必要になるだろう。

また、教育支出の配分に関して平等化に向けた進歩があったことは事実だが、これも過大評価すべきではない。フランスにおける教育への公的支出をくわしく見てみよう（図10）。ここで使ったデータは、現在では教育を終えている世代が二〇二〇年に二〇歳になったときのものである。全員が二〇〇〇年にフランスで生まれた。グラフでは、この世代が保育園から高等教育にいたるまでに受け取った公的教育支出を少ないほうから順に並べ、パーセンタイルで表示している。これを見ると、九〇パーセンタイルあたりから受け取る額が急激に増え、九五～一〇〇パーセンタイルでは一人当

図 10 フランスにおける教育への公的支出

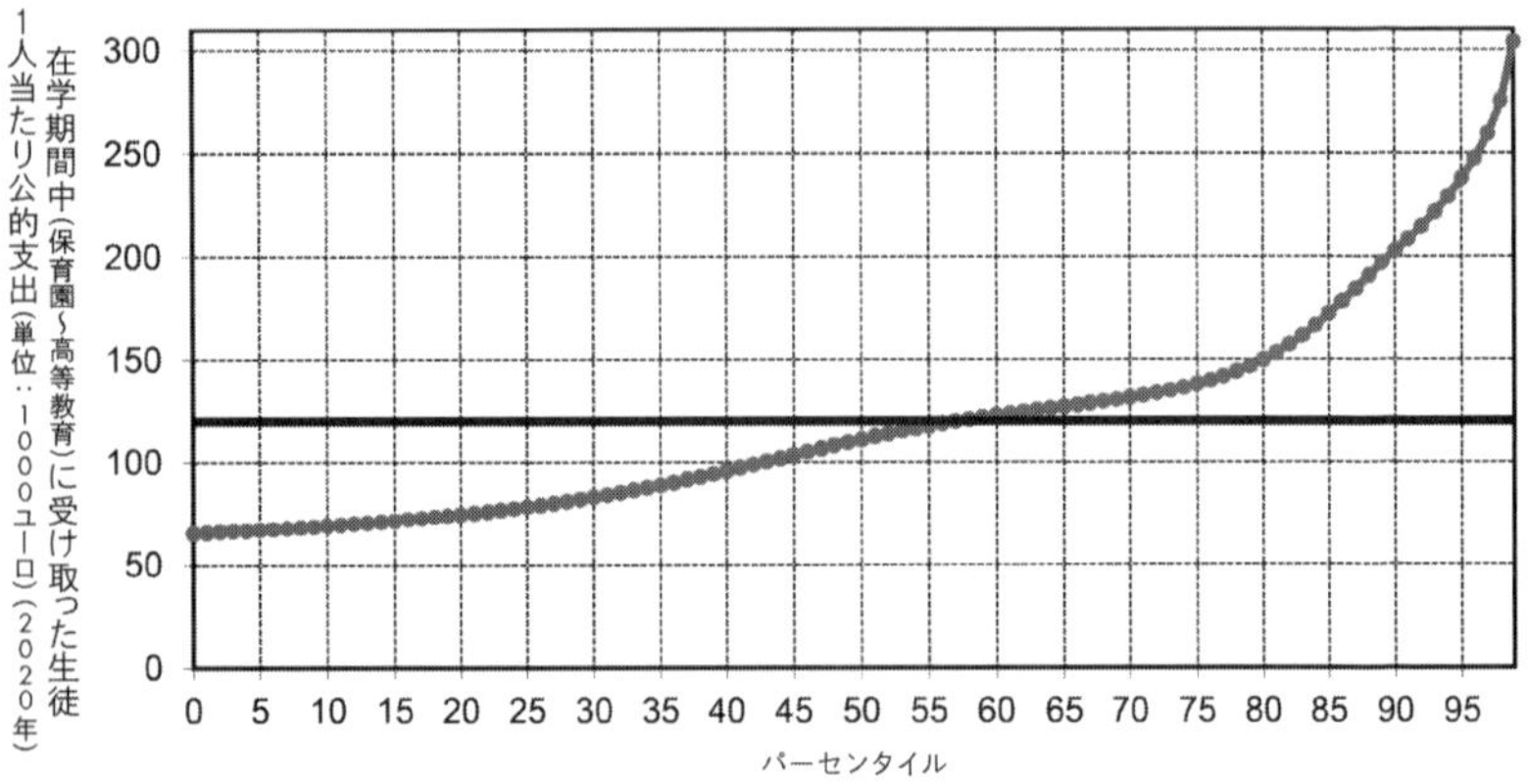

解説：2020 年に 20 歳になった世代が在学期間中（保育園〜高等教育）に受け取った生徒 1 人当たり公的支出は、平均約 12 万ユーロだった（年平均 8000 ユーロとすると教育 15 年分に相当する）。この世代で公的支出の受取額が最も多い上位 10％は 20 万〜 30 万ユーロを受け取り、最も少ない下位 10％は 6.5 万〜 7 万ユーロにとどまった。

注記：フランスの教育制度では、2015 〜 2020 年における生徒 1 人当たり公的支出は、保育園・初等教育が年間 5000 〜 6000 ユーロ、中等教育が 8000 〜 1 万ユーロ、大学が 9000 〜 1 万ユーロ、グランゼコール準備学級・グランゼコールが 1.5 万〜 1.6 万ユーロだった。

資料：piketty.pse.ens.fr/egalite.

たり二五万～三〇万ユーロに達することがわかる。この層は長い期間にわたって教育を受けており、しかもフランスでは高等教育ほど公的支出が多い。とくにグランゼコール（高級官僚などエリート養成校）やグランゼコール準備学級には公的支出が潤沢に投入されている。パーセンタイルの下のほうにいるのは一六～一七歳で教育から離れ、初等・中等教育への公的支出しか受け取らない生徒たちである。そして中間には、大学に進学するものの、人文科学のように公的支出の少ない学部の学生が含まれる。

このように、教育への公的支出の受取額が最も少ない層は一人当たり六万～七万ユーロにとどまる一方で、最も多い層は二五万～三〇万ユーロに達する。中間層は一〇万ユーロ前後である。つまり教育への公的支出に関しては、受取額の最も少ない層と最も多い層との間で二〇万ユーロもの開きがある。しかも最も多く受け取る人たちは、そもそも他の人より社会的に恵まれた出自であることが多い。となれば事実上、公的支出が当初の不平等を大幅に助長していることになる。二〇万ユーロという金額は、平均的な相続財産に相当する。これではまるで、最も恵まれている階級が、今度は公権力からちょうど同じだけおまけの相続財産を受け取るようなものだ。

以上のように、教育の機会拡大は長期的には実現しているものの、二つの但し書きをつけねばならない。第一は、不平等はいまだに大きいこと。第二は、それでも公的支出は以前と比べて大幅に減っていることである。結局、いつもここに帰着することになる。われわれの社会はいまなおきわめて不平等だが、その一方で、政治闘争や歴史的変遷の結果として平等への歩みは続いているということだ。所得分布や資産分布の項ですでに述べたことは、教育への公的支出の分布にも当てはまるのである。

ここで、図11を見てほしい。一九一〇年のフランスでは、教育への公的支出の一人当たり受取額が最も多い上位一〇%は教育支出全体の四〇%近くを受け取っていたが、今日では二〇%になっている。それでも下位五〇%が全体の約三五%しか受け取っていないことを考えれば、多すぎると言える。配分が平等に見えたとしたら、それは大きなまちがいだ。下位五〇%は上位一〇%の五倍の人数がいるのだから、上位一〇%の受取額は下位五〇%の五分の一でなければおかしい。実際には上位一〇%は下位五〇%の三倍を受け取っているのだから、きわめて不平等である。

一九一〇年より今日のほうが平等になったように見えるのは、単に当時のほうが教

図 11　植民地における教育への公的支出の不平等

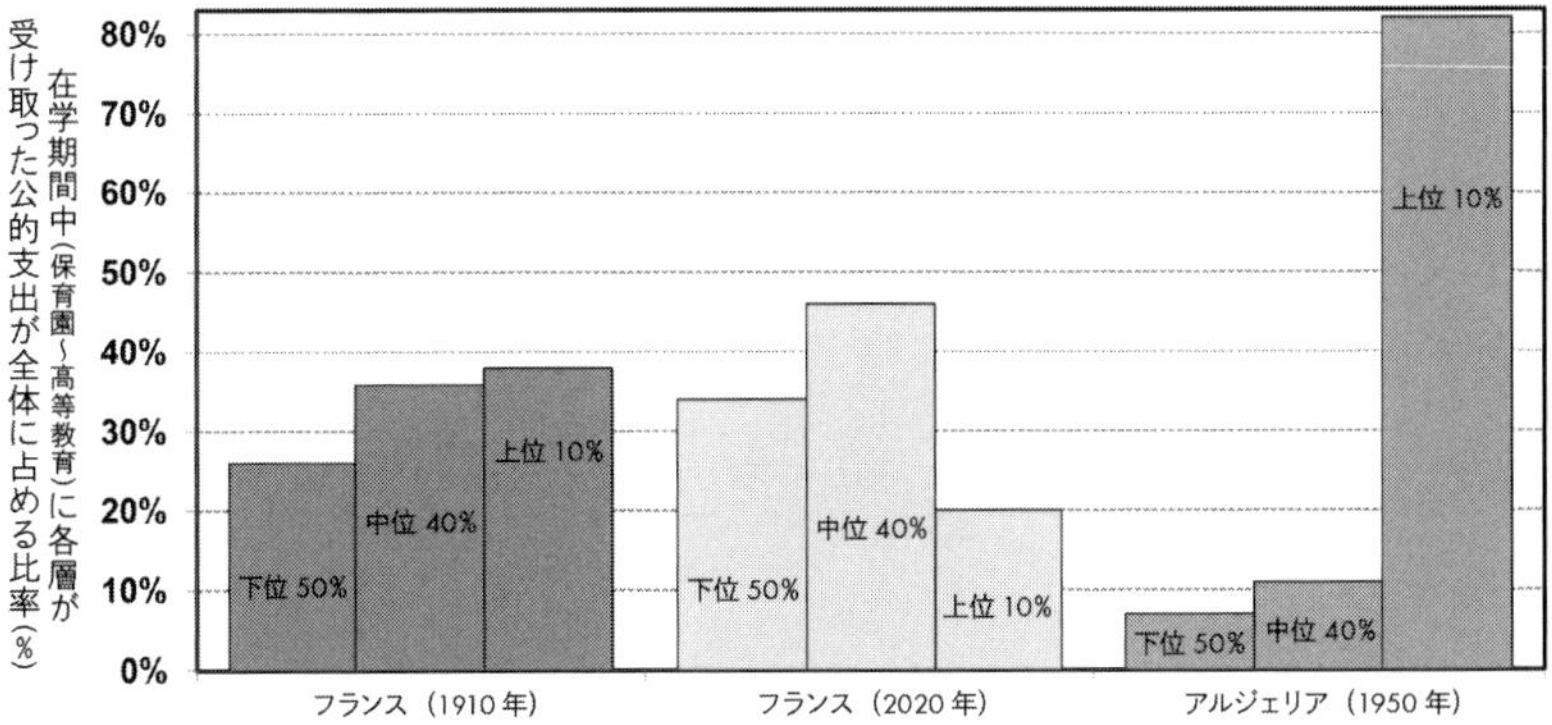

解説：1950 年のアルジェリアでは、人口の 10%（実際には本国から来た居留民の子供たち）が教育への公的支出（初等〜高等教育）の恩恵をほぼ独占しており、この層の受取額が全体に占める比率は 82% に達していた。比較のために言うと、1910 年のフランスでは、公的支出の受取額が最も多い上位 10% は全体の 38% を受け取っていたが、2020 年のフランスでは、これが20% まで減少している（それでも、人口比からすれば本来の2 倍を受け取っていることになる）。

資料：piketty.pse.ens.fr/egalite.

育制度における階級格差が甚しかったからだ。非常に裕福な層を除いては、大半の階級の人々は初等教育しか受けない。一方、裕福な資本家階級は高等教育まで受けることができる。しかも大学教授の報酬は小学校の教師とは比較にならないほど高く、教育機関の階級格差は今日よりずっと顕著だった。

教育格差が一段と甚しかったのは、植民地である。一九五〇年のアルジェリアでは、教育への公的支出の一人当たり受取額が最も多い上位一〇％は、本国から来た居留民の子供で占められていた。居留民はアルジェリアの全人口の一〇％強で、それ以外の九〇％弱はアルジェリア人のムスリムである。教育制度は完全に分離されていた。アメリカ南部では一九六〇年代まで黒人の学校と白人の学校が完全に分かれていたが、まさにアルジェリアも同じで、本国から来た居留民の子供の通う学校と現地のムスリムの通う学校は完全に別だった。

では、教育への公的支出はどうだったのだろうか。この点については、社会科学高等研究院（ＥＨＥＳＳ）の同僚であるドニ・コニョがたいへんな情熱を注いで植民地予算の歴史を調べてくれたことに深く感謝したい。彼の調査により、教育予算全体の八〇%が、人口の一〇%を占めるにすぎない居留民の子供の学校に投じられていたことが判明した。しかも予算の財源はと言えば主に間接税だったから、植民地の人々が納める税金が大半を占めていたわけである。つまり全員から税金は徴収するにしても、植民地の人々が大半を負担する間接税が財源となっている教育支出によって、居留民の子供が圧倒的に大きな恩恵を受けるしくみになっていた。

こうしたわけだから、植民地や一九一〇年のフランスと比べれば、今日のフランスの教育制度は平等になり多くの人に機会が開かれていると言えるだろう。とは言え、平等への長い歩みをまだ止めてはならない。もう大仰で抽象的な議論は脱して、教育への公的支出の配分について従来と一線を画す目標を明確にできるはずである。社会的公正の基準を確立することも必要だ。そのためには、実際に何が行われたかについて市民が議論し検証できるしくみを整えなければならない。たとえば税の公平性に関しては、所得、資本、税率、税額などについて基本的な公正性の基準が守られているかチェックするしくみが長い時間をかけて開発されてきた。しかし教育の場合、基準が多岐にわたっており、何が行われているのか、誰が結果に責任があるのかを突き止めることがむずかしい。まだまだ改善すべき点が多いと言わねばならない。

権利の平等の深化に向けて

私は、教育、医療といった基本財にアクセスする権利および政治参加の権利の平等をまずめざすための手法の開発に取り組んでいる。本稿ではスウェーデンにおける参政権の例を挙げたが、当然ながら参政権の平等で立ち止まるわけにはいかない。政治運動や報道機関の資金調達の問題に関して、もっと平等なしくみが考えられるはずだ。

私はまた、経済民主主義に関する問題にも関心がある。具体的には、企業の意思決定への平等な参加である。たとえばドイツや北欧では、監査役会（ドイツ企業の最高意思決定機関）に労使同数の代表を送り込む「共同決定制度」が法制化されている（従業員二〇〇〇人以上の企業の場合）。これは興味深い。もっとも採決で同数になった場合には、監査役会会長（その任免には株主の意向が反映される）が決定投票権を持つので、制度として不十分ではある。だが従業員に議決権の五〇％を与える（よって株主も五〇％）と決めておけば、労働側に味方する何らかの団体が資本の一〇％か二〇％を持っていれば、残り八〇％か九〇％を仮に一人の株主が握っていても、過半数を覆すことが可能になる。戦後にドイツとスウェーデンで実現したこうした改革の意義は小さくない。しかしフランス、イギリス、アメリカの株主はこのようなシステムにまったく賛同しないだろう。

ドイツや北欧のシステムをさらに押し進めることも考えられる。たとえば株主側が持つ五〇％の議決権について、個々の株主が保有できるのは一〇％を上限としてはどうか。こうすれば議決権の平等に近づくことができる。その一方で規模のごく小さい企業では高い自由度を維持する。たとえば個人で事業を始める場合、本人を含め出資者はより多くの議決権を持てる、というふうに。

経済的な権力をめぐる平等について、私はこうした考え方を発展させようとしている。とはいえ、議決権が平等になったからといって結果が完全に平等になるわけではない。個人が求めるものは多種多様で、それぞれに人生でちがう計画を立てているからだ。それに、職業にしても所得にしても、絶対的な平等というものはあり得ない。

では、個人の主観や選んだ職業・職種の多様性、さらに経済社会的組織におけるインセンティブ上の必要性からして、どの程度の所得格差なら妥当と言えるだろうか。一対三、一対五程度であれば、目標に照らしてまずまず及第と言えるだろう。一方、一対五〇のような格差は、歴史上のさまざまな事例が示すところからしてもとうてい正当化できない。

一対三、一対五といった数字は、持続可能な格差の水準を示しているように思われるが、言うまでもなくそれは、意思決定への民主的な参加や市民の議論を経て決めるべきである。そのためには政治の場における影響力の平等化が前提になるが、現状はそれにはほど遠い。

累進課税

不平等に関して、最後に二つの問題を論じておきたい。一つは累進課税、もう一つは環境破壊の問題である。

この章では累進課税を取り上げる。この問題はきわめて重要だ。まず、非常に古くから検討されてきた。以下にフランスで提案された累進課税の例を挙げるが、これは一八世紀のものである。提案したのは、一人はナントの都市計画家にして経済学者のジャン＝ジョゼフ＝ルイ・グラスラン、もう一人はラコストとしてのみ知られる市民だった。どちらも革命期にひんぱんに発行された冊子形式をとって、前者は所得税の、後者は相続税の累進課税方式を示した（ラコスト自身は「相続に対する国税」と呼んでいた）。どちらも当時は採用されなかったが、二〇世紀になって多くの国で導入される方式ときわめてよく似ている。考え方としてはかなりシンプルだ。税率は、平均を下回る所得または相続については五〜六％からスタートし、平均の一〇〇倍または一

表 1　フランスで 18 世紀に提案された累進課税方式

グラスラン *：所得税の累進課税制度		ラコスト **：相続税の累進課税制度	
平均所得の倍数	実効税率	平均相続財産の倍数	実効税率
0.5	5%	0.3	6%
20	15%	8	14%
200	50%	500	40%
1300	75%	1500	67%

* 富と税に関する試論（1767 年）　** 相続に対する国税（1792 年）

解説：グラスランが 1767 年に提案した所得税の累進課税制度では、実効税率は年間所得 150 リーヴル（当時の成人の平均所得の約半分）に対して 5% から始まり、段階的に引き上げられて、40 万リーヴル（平均所得の約 1300 倍）では 75% となる。ラコストが 1792 年に提案した相続税の累進課税制度でも、同様に段階的に引き上げられる。

資料：piketty.pse.ens.fr/egalite.

〇〇〇倍に達すると六〇%、七〇%、八〇%に引き上げられる。

累進課税制度は、フランス革命戦争の戦費調達の目的で一七九二年末から九三年初頭にかけて導入された。しかしすぐに打ち切られており、フランス革命末期に導入されたのは物品税など間接税を主体とする完全な比例課税だった。また相続税でも厳密な比例課税方式が採用された。一九世紀を通じて、親から子への相続財産には〇・五%の相続税が課され、遺産が一〇〇〇フランでも一〇〇万フランでも税率は同じだったのである。つまり再分配の意図はまったく存在しなかった。

一九〇一年にようやく相続税に累進課税方式が導入され、最高税率は二・五%となる。その後に五～六%に引き上げられたが、これは主に一九一〇年労働者農民老齢年金法の財源確保のためだった。所得税が累進課税制度に大幅に近づいたと言えるのは、第一次世界大戦が勃発してからである(図12、13参照)。そもそもフランスでは一九一四年まで所得への課税が行われていなかったため、所得税の最高税率はなんと〇%だった。第一次世界大戦中はどの国でも税制が急激に変化したが、中でも一九一〇年代末のアメリカでは顕著だった。同国の法的手続きは複雑で、一九一三年にまず憲法

図 12　累進課税制度の導入：所得税の最高税率の推移（1900 ～ 2020 年）

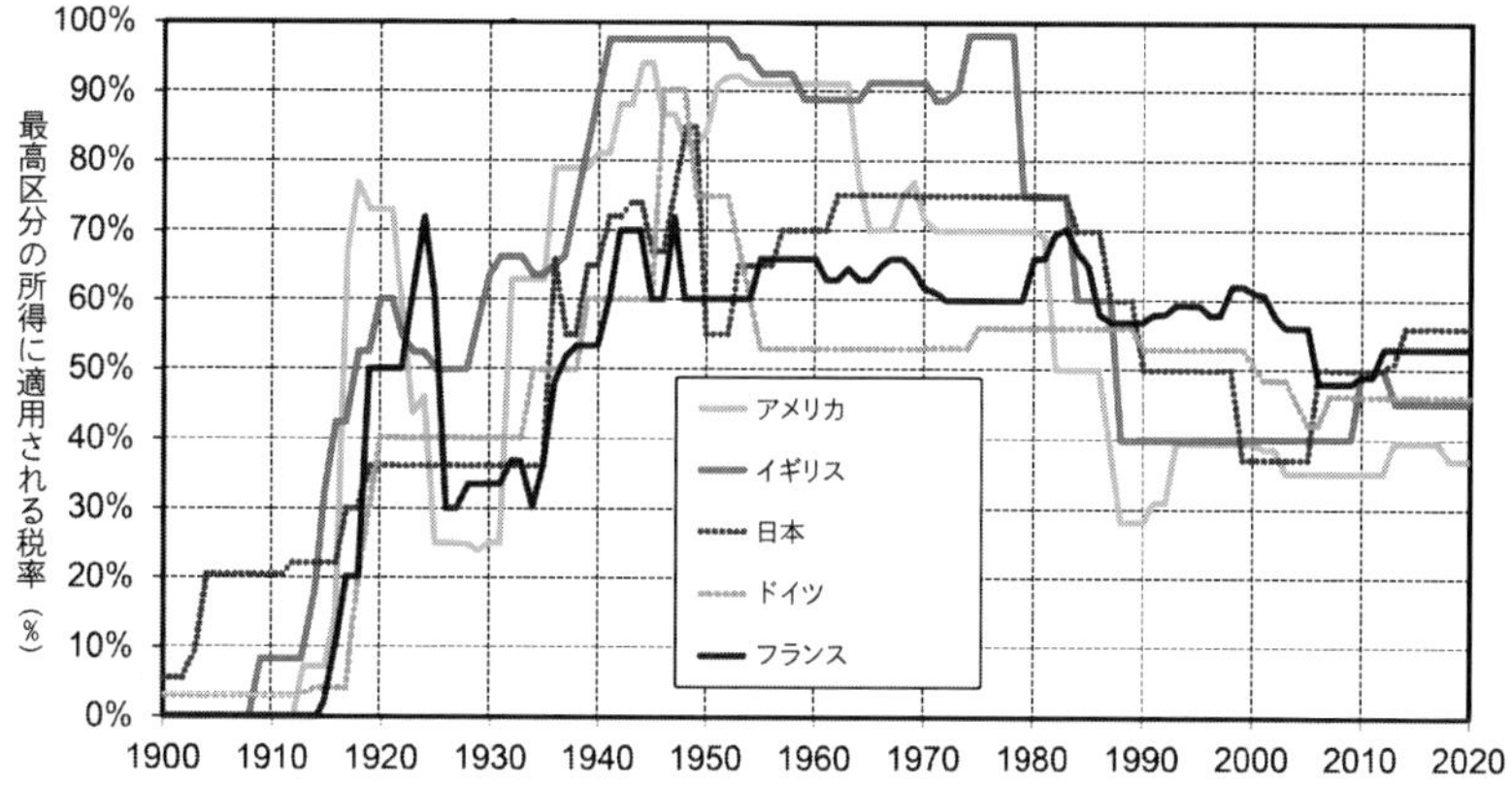

解説：最高区分の所得に適用される税率は、アメリカでは 1900 ～ 1932 年が平均 23 %、1932 ～ 1980 年が同 81 %、1980 ～ 2020 年が同 39 % だった。同時期のイギリスは、30 %、89 %、46 %。日本は 26 %、68 %、53 %。ドイツは 18 %、58 %、50 %。フランスは 23 %、60 %、57 % だった。累進課税の最高税率は 20 世紀半ばにピークに達しており、とくに英米両国で高い水準となった。

資料：piketty.pse.ens.fr/egalite.

図 13　累進課税制度の導入：相続税の最高税率の推移（1900 ～ 2020 年）

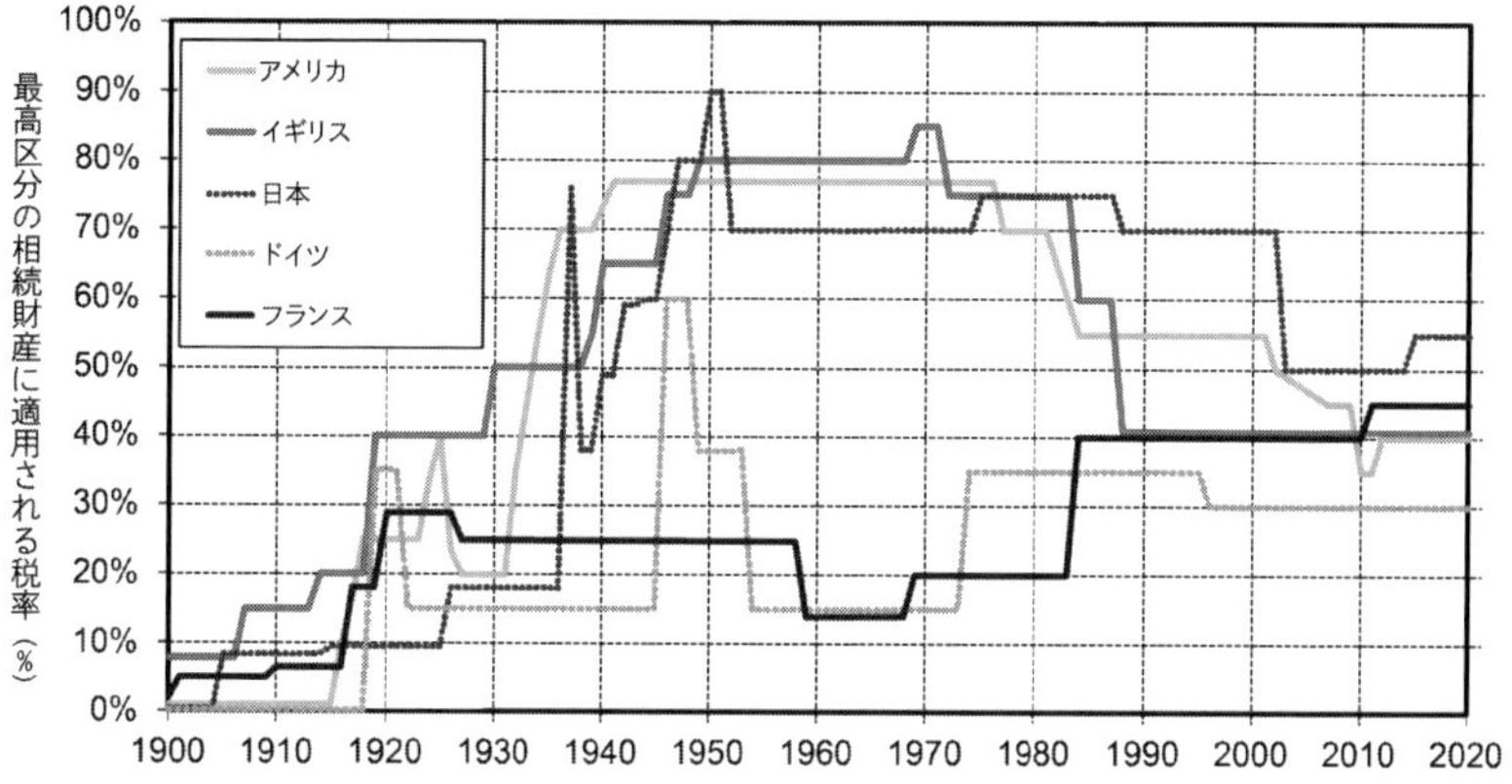

解説：最高区分の相続財産に適用される税率は、アメリカでは 1900 ～ 1932 年が平均 12 %、1932 ～ 1980 年が同 75 %、1980 ～ 2020 年が同 50 % だった。同時期のイギリスは、25 %、72 %、46 %。日本は 9 %、64 %、63 %。ドイツは 8 %、23 %、32 %。フランスは 15 %、22 %、39 % だった。累進課税の最高税率は 20 世紀半ばにピークに達しており、とくに英米両国で高い水準となった。

資料：piketty.pse.ens.fr/egalite.

を改正する必要があった。それでも当時のアメリカ社会は税の公正性を強く求めた。アメリカ人が抱いていた強迫観念の一つが、とにもかくにも不平等で寡占がはびこり財閥が力を持つ古いヨーロッパのようになってはいけない、というものだったのである。ヨーロッパは想像を絶するほどの格差社会だと考えられており、アメリカのやや保守的な経済学者の間でも次のような見方が共有されていた。ヨーロッパのように不平等になることは国家にとってきわめて危険であり、民主政の息の根を止めてしまうことになりかねない、と。

一九世紀末から二〇世紀初めにかけてアメリカはこの危機意識を強く持ち、憲法改正により所得税の徴収が可能になると、ただちに大規模に活用し始めた。この取り組みは一九二〇年代初頭から始まり、一九三二年にフランクリン・ローズヴェルトが大統領に選ばれると一段と加速した。一九三二〜八〇年の約半世紀にわたってアメリカの最高税率は平均八〇%に達し、九一%まで引き上げられたこともある。しかもこれは連邦所得税だけで、そこに州税が加わる。場合にもよるが、五〜一五%の州税が課された。

これほどの重税になっても、アメリカの資本主義は消滅しなかった（重税が資本主義を殺せるのなら、半世紀もあったのだから殺せたはずだ）。それどころか、この期間はアメリカ経済が最も活況を呈し、他国への経済的支配が絶頂に達しているのである。いったい、どうしたわけだろうか。端的に言って、一対五〇、一対一〇〇といった所得格差があったら国家は繁栄できない、ということだ。私にしても、完全な平等が望ましいと言うつもりはない。おそらく一対五、一対一〇程度の格差はあってよいと思う。手元のデータから考えると、一対五の格差は大いに結構だと感じる。だがデータが収集できたどの社会についても、一対五〇、一対一〇〇といった所得格差を正当化できる理由は見当たらない。アメリカは累進課税によってこの格差を大幅に縮めたが、そのことは経済成長を阻害しなかったし、イノベーションを窒息させることもなかった（図14参照）。

経済成長の真の原動力となるのは、教育である。二〇世紀半ばまで、アメリカは他の先進国に比べて卓越した教育の優位性を保っていた。一九五〇年代のアメリカでは該当する年齢層の九〇％が高校に進学したのに対し、ドイツ、フランス、日本では二

図 14 アメリカにおける実効税率と累進性（1910 ～ 2020 年）

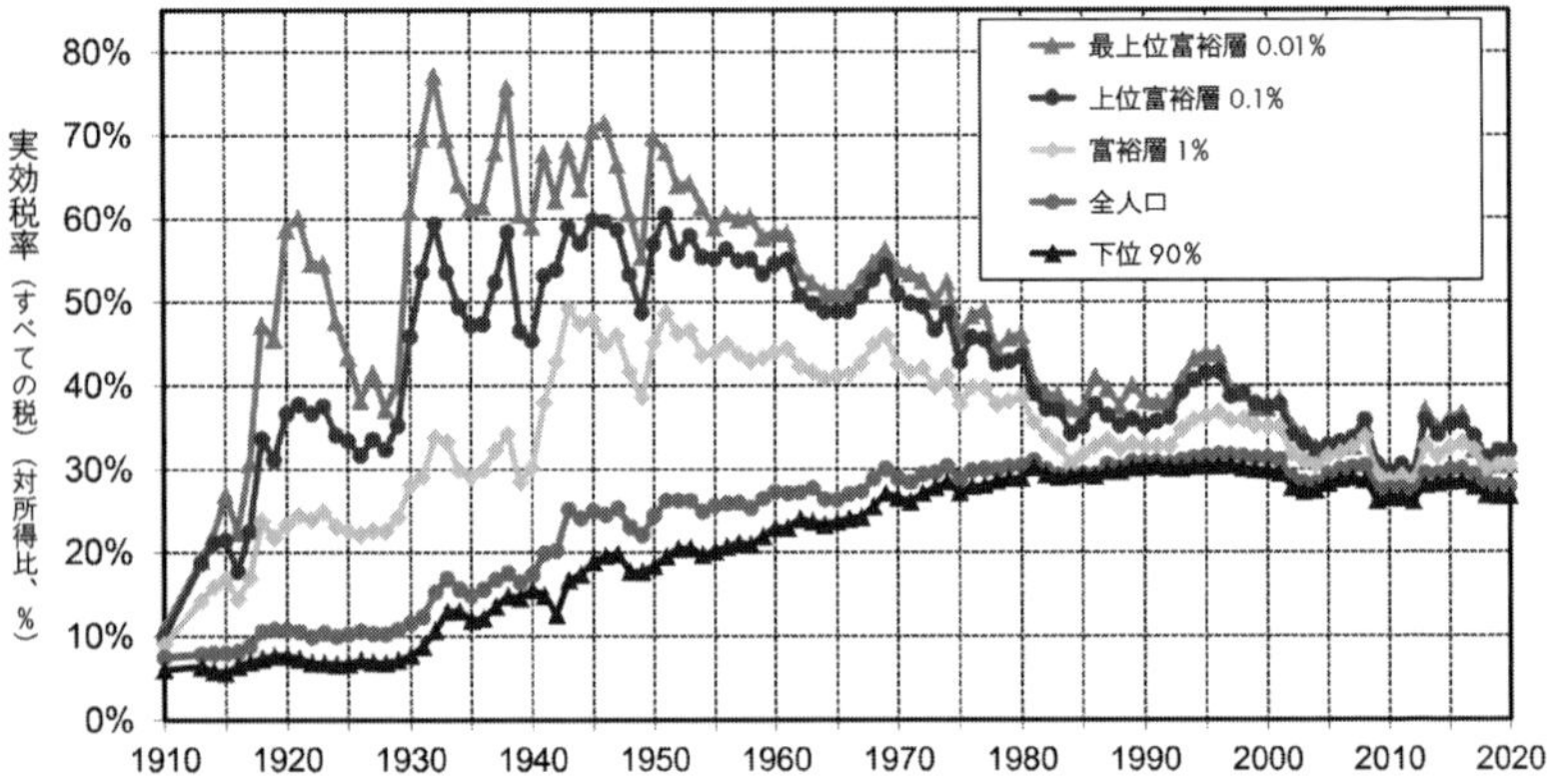

解説：1915 ～ 1980 年のアメリカの税制は、累進性が非常に強かった。最高所得層が納めた税金の実効税率は、全人口が納めた税金の平均実効税率を大幅に上回っていた（全種類の税を含む、パーセンテージは税引前所得合計に対する比率）。下位 90％に適用された実効税率との差はとくに大きい。1980 年以降は累進性が弱まり、所得区分による実効税率の差は縮まった。

資料：piketty.pse.ens.fr/egalite.

〇％に過ぎなかった。これらの国で高校進学があたりまえのようになるのは、一九八〇～九〇年代になってからのことである。とくに産業におけるアメリカの生産性の優位は、主としてこの教育の優位に由来すると言ってよかろう。

一九八〇年代にロナルド・レーガンが大統領に就任すると、アメリカの税制はまったく別のものになった。レーガンはローズヴェルト流の政策を抜本的に見直すために、ベトナム戦争の失敗やカーター前大統領のイランでの失態などをことさらに強調する。アメリカは行きすぎた、まるで共産主義の国のようになってしまった、アメリカらしい起業家精神を復活させなければならない、というのがレーガンの主張である。かくして一九八六年の税制改革で最高税率は二八％まで引き下げられた。これこそまさにレーガノミクスを決定づける要素である。その後、アメリカの所得税の最高税率がかつてのような高水準に引き上げられたことはない。

この大幅減税で経済は拡大すると期待されたが、実際にはレーガン減税後の一九九〇～二〇二〇年のアメリカの経済成長率は、一九五〇～九〇年のおおむね半分に落ち込んでいる。あらゆるデータからして減税が所期の成果をもたらさなかったことはたしかだ。しかし今日もなお減税が経済活性化に有効と考えられている。そこに政党やメディアの思惑も絡んでいることは言うまでもない。

累進課税制度は二〇世紀に大きく発展を遂げた。とくに一九一四〜八〇年には、課税圧力の全般的な上昇を社会に広く受け入れてもらううえで、この制度は重要な役割を果たしたと言える。最富裕層から一％の税金を取り立てるだけでは、福祉国家の財源は手当てできないことがはっきりしたのだ。だが税収の一部、しかも増え続ける一部を教育と医療の財源に充当することに大多数の国民の理解を得るためには、中流階級と労働者階級に、最富裕層も少なくとも自分たちと同等の負担をするのだと納得してもらう必要がある。この点からすると、税の累進強化は福祉国家の建設において決定的な役割を果たしただけでなく、この方式の浸透を容認させるある種の社会契約を形成することにもなった。

しかし今日では、このことが多くの問題を引き起こしている。中流階級と労働者階級の人々は、最富裕層が巨額の税逃れをしていると感じている。いや、確信している。定められた税率がどうあれ、税逃れの手段や税の最適化の手法がしきりに取り沙汰されるのがその何よりの証拠だ。

相続税も、所得税と同じような経過をたどってきた（図13参照）。驚くのは、二〇世紀半ばにアメリカ、イギリス、日本では相続税の最高税率がきわめて高い水準に達したのに対し、たとえばフランスとドイツはかなり低水準だったことだ。おそらくフランスとドイツでは、資産の再分配が戦争、破壊、インフレによって行われたことが一因だろう。興味深いのは、ドイツの相続税（および所得税）の最高税率が一時的に引き上げられた時期が一九四五～四八年だったことだ。この時期に相続税は六〇％に、所得税の最高税率は九〇％に達したが、このときドイツの租税政策を決めたのはアメリカである。正確に言えば、ドイツの税率は連合国管理委員会から指示されていた。アメリカは、何もドイツのエリート層を罰するためにこうした措置を講じたわけではない。そもそもアメリカは自国でもそうしているのだ。当時のアメリカの構想では、相続税の引き上げは「文明化パッケージ」の一環だった。民主的な制度を税制で支え、民主政が金権政治に堕落しないよう配慮したのである。今日のアメリカからすると実にもって意外な発想と言えるが、これはそう遠い昔の話ではない。当時のアメリカが懸念した問題をいま解決するためには、こうした歴史に立ち返る必要があるだろう。

それでは本章の最後に、二〇世紀における平等への歴史的変遷に関してぜひ強調しておきたい重要な点に移りたい。それは、海外資産とくに植民地における資産の大幅縮小である（図15参照）。この現象にとくに関係があるのはイギリスとフランスである。一九一三年まで、英仏両国は他国に膨大な資産を積み上げていた。資産は、スエズ運河、ロシアやアルゼンチンの鉄道の持株、ハイチ、モロッコ、中国、オスマン帝国に対する債権（賠償金などの名目による強制的な債務の押し付け）などの形をとっている。この最後のものは、むしろ貢物と言うべき代物だった。ともかくも至るところに債権の所有者がおり、フランスではその債権の総額が同国ＧＤＰの一年分、イギリスでは二年分に相当し、そこからもたらされる利子や配当や賃貸料はフランスにとってＧＤＰの五％、イギリスにとっては一〇％を占めた。国外からもたらされるこの恩恵は、フランスにとって北東部の工業生産高に匹敵し、構造的な貿易赤字を埋め合わせる財源となった。一八八〇～一九一四年の英仏両国の貿易赤字はＧＤＰ比二～三％だったのに対し、国外から資本や収益の形でＧＤＰ比五～一〇％が流れ込んできたわ

図 15 海外資産の推移

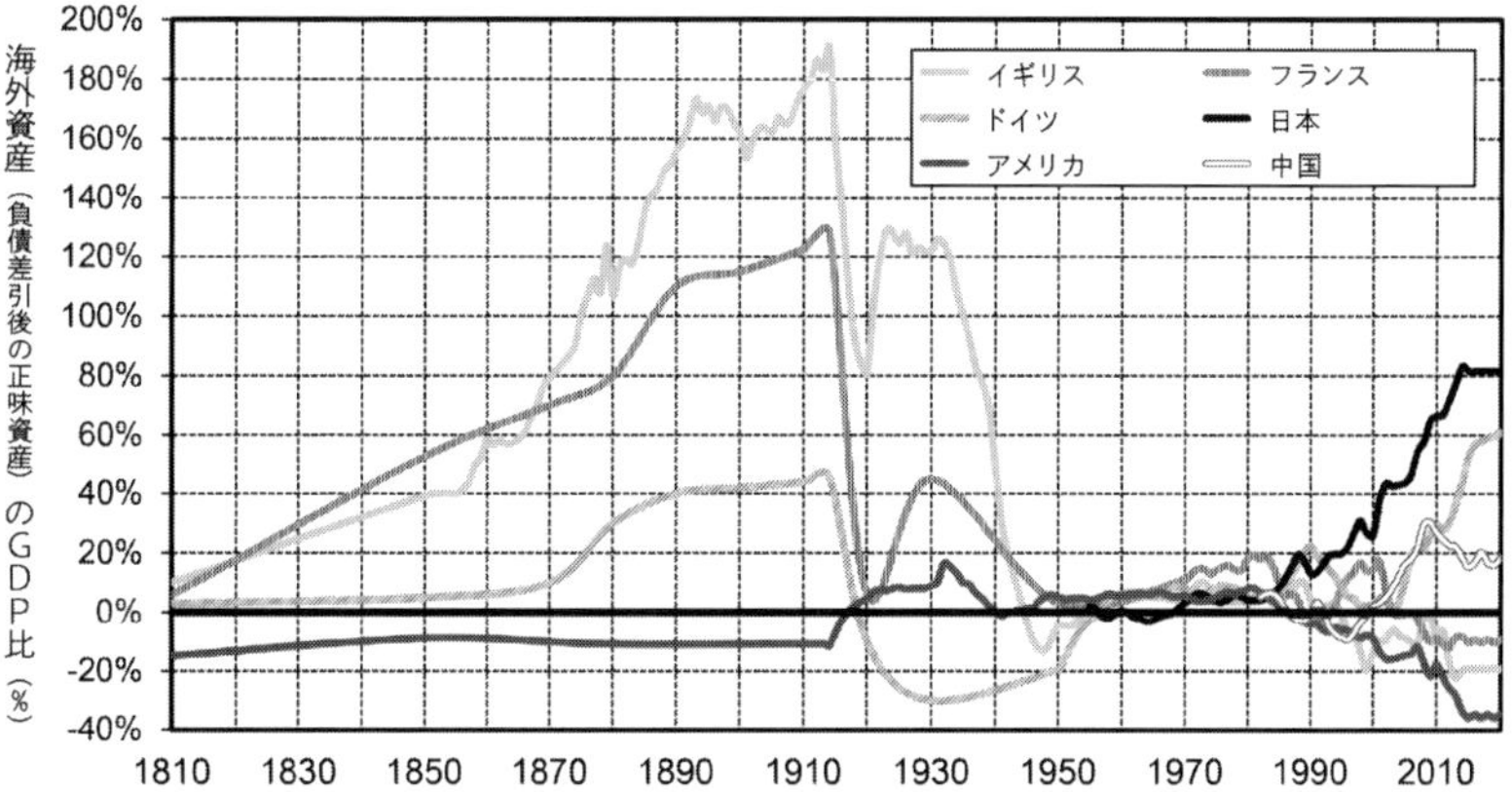

解説：正味海外資産、すなわちその国の居住者（政府を含む）が海外に保有する資産から、他国の居住者がその国に保有する資産を差し引いた資産額をその国の対 GDP 比でみると、1914 年の時点でイギリスは 191％、フランスは 125％に達していた。対照的に 2020 年の時点では、日本が 82％、ドイツは 61％、中国は 19％となっている。

資料：piketty.pse.ens.fr/egalite.

けである。おかげで貿易赤字を手当てできただけでなく、他国の資産の買い占めを続けることができた。言うなれば、店子から取り立てた家賃で大家が建物の残りを買い占めるようなものである。

これは、きわめて暴力的な状況だと言わねばならない。このような状況は、軍事力による植民地支配の枠組み以外では維持できなかったはずだ。しかし第一次世界大戦によってこの枠組みは崩壊した。原因の一つとして、国際情勢が様変わりし、資産の没収、ロシア国債のデフォルト（レーニン率いるボリシェビキ政権がロシア帝国の対外債務の肩代わりを拒んだ）、スエズ運河の国有化などが行われたことが挙げられる。だがそれだけではない。もう一つの原因として戦費の調達が挙げられる。フランスでもイギリスでも、外債の所有者はその大半を売却し外貨を政府に貸すことを強制された。つまり戦争自体が残っていた産業資本を破壊してしまったのである。これはずいぶんと愚かしい自殺行為だったと言わざるを得ない。このプロセスは一九一四〜四五年のヨーロッパで進行した。

債務をどうするのか？

財産の話のつながりで言うと、一九一四年の時点で海外資産や植民地に資産を持っていた国々は、三〇年後の一九四五年には巨額の公的債務を抱えるようになる。その額はGDP比二〇〇～三〇〇％にも達し、現在のギリシャを上回っていた。しかもそれが、経済規模のはるかに大きいドイツ、フランス、イギリスで起きたのである。これらの国々は巨額の公的債務からあっという間に解放されたが、償還はいっさいしていない。単に踏み倒したか、インフレによって雲散霧消させたのである。もちろん、どう考えても好ましい方法ではない。ドイツと日本はこの点に関して非常に興味深い例である（図16参照）。

ドイツは一九二〇年代に一回目のハイパーインフレに見舞われ、おかげで第一次世界大戦により生じた公的債務は一気に解消されたものの、社会は大混乱に陥りナチズムの台頭を招くことになった。そして第二次世界大戦後には、インフレを起こさずに

図16 公的債務残高の推移

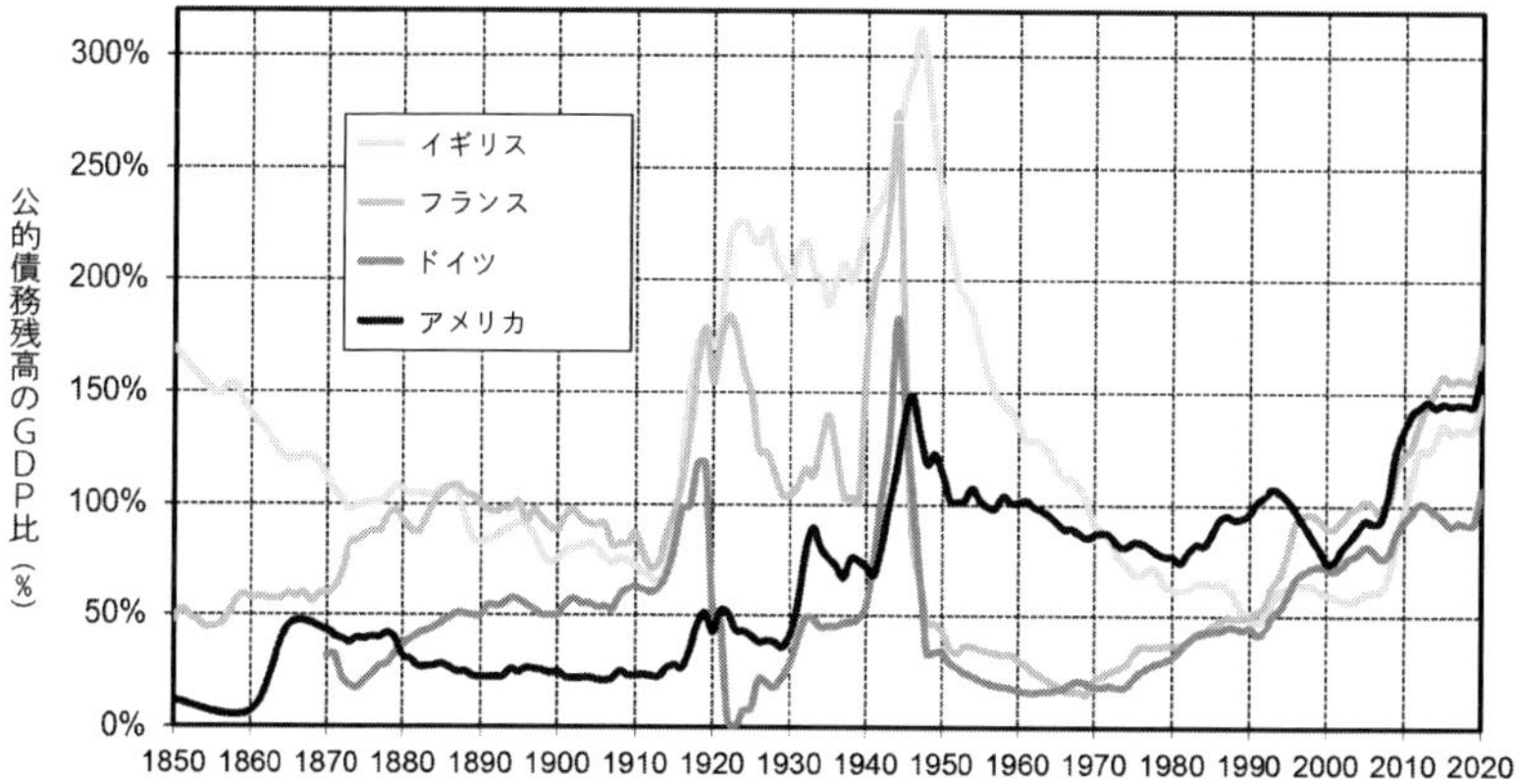

解説：2度の世界大戦を経て公的債務は急拡大し、1945～50年にはGDP比150～300%に達した。その後、ドイツとフランスで急減した（デフォルト、特別資産税の導入、高インフレによる）。その後、2008年の金融危機と2020年のパンデミックの後にも公的債務は急拡大した。

注記：ここには、ヴェルサイユ条約（1919年）に基づくドイツの戦時賠償債務は含めていない。これは当時のドイツのGDPの300%以上に相当するが、その返済は結局開始されることはなかった。

資料：piketty.pse.ens.fr/egalite.

公的債務問題を解決する新種の手法が開発される。古い債務の価値を一〇〇分の一にする通貨改革に加えて、高額の資産に特別税を導入したのだ。後者は中小規模の資産が被った損失を補償することが目的で、最高区分では税率が五〇%に達した。この改革は一九五二年に採用され、一九八〇年代まで続けられている。

昨今のドイツは、ギリシャは最後の一ユーロにいたるまで債務を返済すべきだと力説しているが、これを聞くと、戦後は遠い昔だったのだろうかと慨嘆せざるを得ない。まあ、得てしてこういうものだ。歴史で主役を演じた国々の記憶は短い。都合よく厄介払いしてしまったあととなっては、なおのことである。だがこの歴史健忘症を克服せねばならないと私は思う。歴史を振り返ると公的債務問題はさまざまな方法で処理されてきたこと、それはよい方法ばかりではなかったことをわきまえなければならない。たとえばフランス革命まで遡ると、債務者の三分の二は破産している。

新型コロナウイルス（Covid-19）後に公的債務が急増したが、この程度の水準の債務は過去になかったわけではない。いやそれどころか、とくにヨーロッパではたびたび高水準の債務を抱える羽目に陥っている。もっともどの国も債務をなんとか切り抜けた。このことはよいニュース第一号と言える。そしてよいニュース第二号は、債務問題にはさまざまな解決策があり、調整の仕方やその費用負担はケースバイケースで変えられることだ。つまり公的債務という数字の背後には、社会的な対立や政治的な対立が隠されている。そもそも火星に借金をしているわけではないのだ。借りた相手が国内にいる以上、政治的に処理せざるを得ない。歴史に立ち返ることによって解決の可能性を広げることができるし、解決の扉は思うほど閉ざされていないことに気づくだろう。

最後に一つ強調しておきたいのは、単に金銭的な再分配だけが福祉国家の仕事ではないということである。福祉国家の発展過程では市場化から脱する動きを伴う。教育、健康・医療、年金、住宅、インフラといった分野で脱市場化がみられることは、経済というものが市場や資本主義の論理の外でも十分に運営できることを示している。どれもたいして重要な分野ではないと思われただろうか。しかし、たとえば医療はGDPの一〇%を占めており、自動車産業より規模が大きい。医療産業は大半の国で主に公的資金の投入を前提に構築されており、政府のほかに多種多様な営利・非営利組織などが参入している。もっといい方法がないわけではないが、ヨーロッパの制度を利益第一主義のアメリカの制度と比較すると、前者のほうがすぐれていることはあきらかだ。周知のとおりアメリカの医療費はヨーロッパよりはるかに高いし、公衆衛生面でもアメリカの現状はヨーロッパと比べると悲惨と言わざるを得ない。

こうした背景から、利益追求に走らない経営を旨とした組織づくりや資金調達のしくみが発展してきた。教育分野はその代表例である。チリではピノチェト政権下で教育を営利事業化する試みが強引に推し進められたが、大失敗に終わっている。また、トランプ前大統領が株式会社方式で開設したオンラインの教育プログラム「トランプ大学」に至っては、詐欺だとして訴訟沙汰になった（二〇一六年に和解成立）。なるほどアメリカの私立大学は営利目的ではなく、利益の分配もしない。だからといってアメリカの私立大学が完璧だとはとても言えない。高額寄付者が大きな力を持ち、自分の子女を入学させたりしている。じつに嘆かわしいことだ。それでも、スタンフォードやハーバードにどれほど寄付をしたところで、議決権の五〇％を得ることはできない。だから、株式会社の力関係とはいくらか異なることはまちがいない。いずれにせよ、教育分野であれ、医療分野であれ、ひたすら利益追求型のシステムにしたいと考える人はいないだろう。なぜなら利益の追求は、教え導きたいとか病気を治したいといった本質的な欲求を破壊しかねないと、社会や時代を問わず多くの人が気づいているからだ。しかも教育や医療に限らず、多くの分野についてそう言える。

この重要な教訓は、文化やメディアにも当てはまる。これらの分野では利益の追求と支配的な少数株主が多くの問題を引き起こしている。財団や協会など多くの非営利組織が存在するのはそのためだ。フランスで最も部数の多い日刊紙「ウエスト・フランス」やイギリスの大手紙「ガーディアン」はかなり前からそうした組織で運営されてきた。たしかにどれも完璧とは言えない。それでも輸送、電気・ガス、水道、行政サービスなどさまざまな領域の脱市場化がかなり前から検討されている。

長期的にはこの脱市場化のプロセスを継続し、より多くの分野に拡大すべきだと私は考えている。一国の経済活動のほぼ全部が脱市場化する可能性も否定しない。そのためには権限委譲が必要であり、組合や共同体といったプレーヤーが重要になってくる。この非市場経済は、所得と資産に対する累進課税および、残存する企業や営利事業におけるよりよい議決権配分（「権利の平等の深化に向けて」の章を参照）といったしくみに支えられることになる。これから解決すべき問題は多々あるが、単なる金銭的再分配ではないということがポイントだ。めざすべきはもっと先にある。経済のあらゆる面の脱市場化をめざすこの動きが後戻りすることはないと信じる。

自然と不平等

「自然、文化、そして不平等」と題するこの講演を、最後に自然破壊の問題でしめくくることにしたい。自然の破壊とは、自然資本の破壊にほかならない。ここでは地球温暖化と二酸化炭素排出量に関するデータを取り上げるが、自然破壊に関しては他にも重要なデータが多数あることをお断りしておく。ともかくも、不平等の問題と気候・環境問題は密接に結びついていることを肝に銘じてほしい。

不平等を大幅に減らすことなく、また平等に向けて新たな前進をすることなく、地球温暖化問題に信頼性の高い解決をもたらすことは不可能である。大きく分けて、二酸化炭素排出に関しては南北格差の問題がある。さらに一つの国の中でも排出量の格差が存在する。

最初に、国際的なレベルでの不平等を取り上げよう。図17は、世界不平等研究所のリュカ・シャンセルとの共同研究から引用したものである。各地域のいちばん左（最

図 17　二酸化炭素排出量の世界分布（2010 ～ 2018 年）

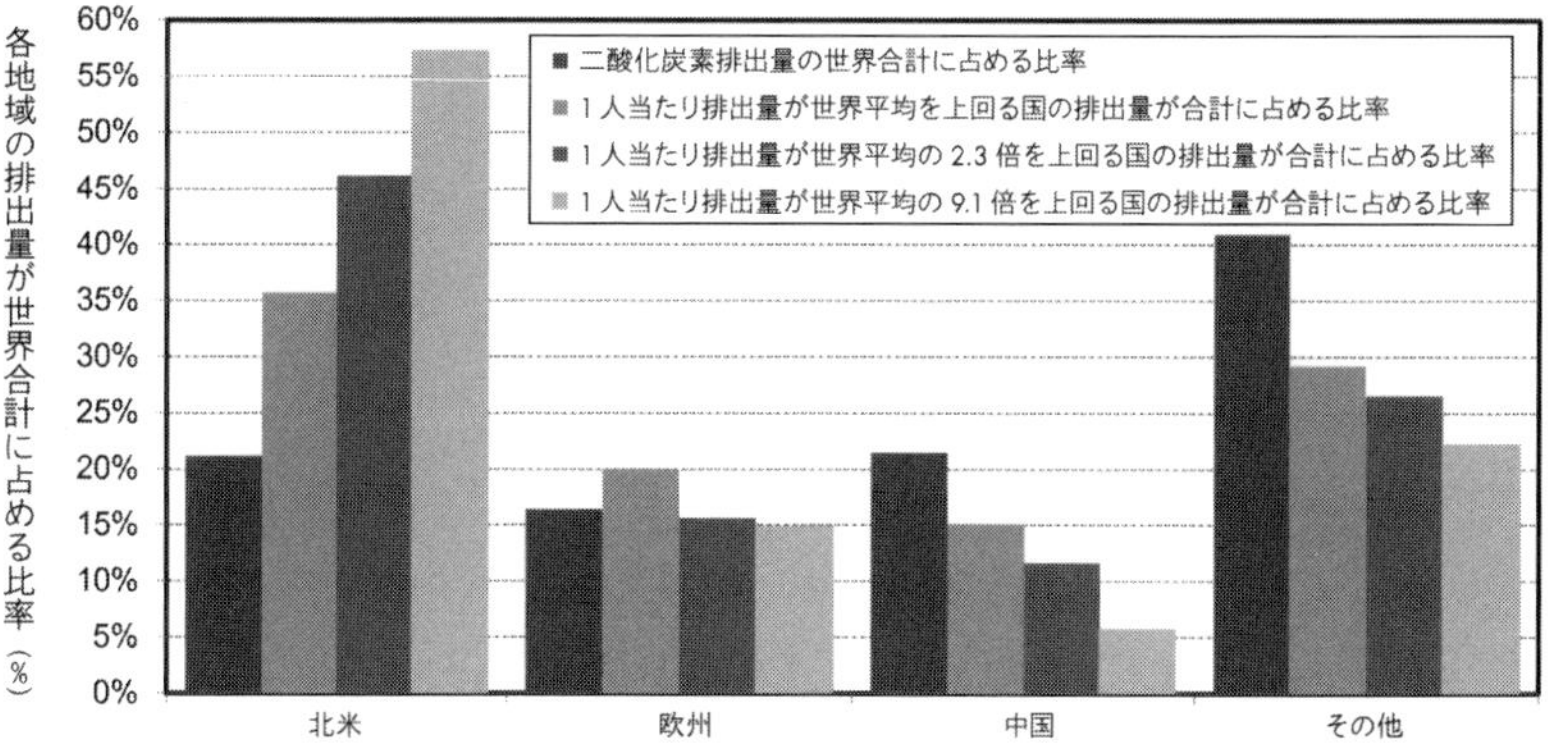

解説：2010 ～ 2018 年に北米（アメリカおよびカナダ）の排出量が世界合計に占める比率は平均 21％だった。1 人当たり排出量が世界平均（CO2 換算で年 6.2 トン）を上回る国が合計に占める比率は 36％、世界平均の 2.3 倍（1 人当たり排出量として上位 10％に相当し、排出量世界合計の 45％を占める）を上回る国が合計に占める比率は 46％、世界平均の 9.1 倍（1 人当たり排出量として最上位 1％に相当し、排出量世界合計の 14％を占める）を上回る国が合計に占める比率は 57％だった。なお、1 人当たり排出量が下位 50％の国が世界合計に占める比率は 13％である。

資料：piketty.pse.ens.fr/egalite.

も濃い色）に、二酸化炭素排出量世界合計に占める比率を示した。これに関する限り、北アメリカ、ヨーロッパ、中国はまずまず同程度の規模に見える。なお、このデータは排出量の輸入分を考慮して修正してある。と言うのも自国内の排出量だけを測定して満足してしまう例が多すぎるからだ。このような国は、他国で作らせればそこで二酸化炭素が排出されること、その作らせたものを輸入すれば結果的には排出枠を消費していることをすっかり忘れているのだろう。この分を考慮に入れることで、図17は通常の測定値よりは状況をやや正確に反映したものとなっている。

だがこの図でぜひとも注目してほしいのは、いちばん左以外である。たとえば各地域のいちばん右（最も薄い色）は、二酸化炭素排出量世界合計に占める比率ではなく、排出量がきわめて多い国、すなわち一人当たり排出量が世界平均の九倍以上の国のみの排出量合計に占める比率を表している。全世界七〇億人の平均は、炭素換算で約六トンである。よって平均の九倍以上だから、一人当たり排出量が五四トン以上ということになる。この数値は一人当たり排出量としては世界の最上位一％に相当し、この最上位一％の排出量だけで下位五〇％の国の合計を上回る。最上位一％の五五％以上を北アメリカが占め、次いでヨーロッパ、次に中国となっている。

つまり、二酸化炭素排出量の世界分布はきわめて偏っているわけだ。気候変動が現在より一段と深刻化した場合、一部の国が他国に対して説明責任を果たすよう求め、最終的にはそうした国との取引を見直すことになると考えられる。どの程度まで事態が深刻化したらそうなるのか、私にはわからない。現時点でわかっているのは、排出量の分布はすでに十分に偏っているということである。

続いて国内の排出格差を取り上げよう。図18は、『世界不平等レポート』二〇二二年版から借用した。図は、一人当たり年間排出量を炭素換算で示しており、所得や資産の場合と同じく、排出量別に上位一〇％、中位四〇％、下位五〇％に分けてある。排出量の下位五〇％は、おおむね所得や資産の下位五〇％に対応すると言ってよい。ヨーロッパでは下位五〇％の一人当たり年間排出量はほぼ五トンである（フランスの場合、四～四・五トン）。持続可能な二酸化炭素排出量は二～三トンとされているから、いくらかの削減が必要ではあるものの、二〇三〇年、二〇四〇年の公式目標はまずまず視野に入っていると言える。これに対して上位一〇％の排出量は、ヨーロッパが二

図 18　地域別の 1 人当たり排出量（2019 年）

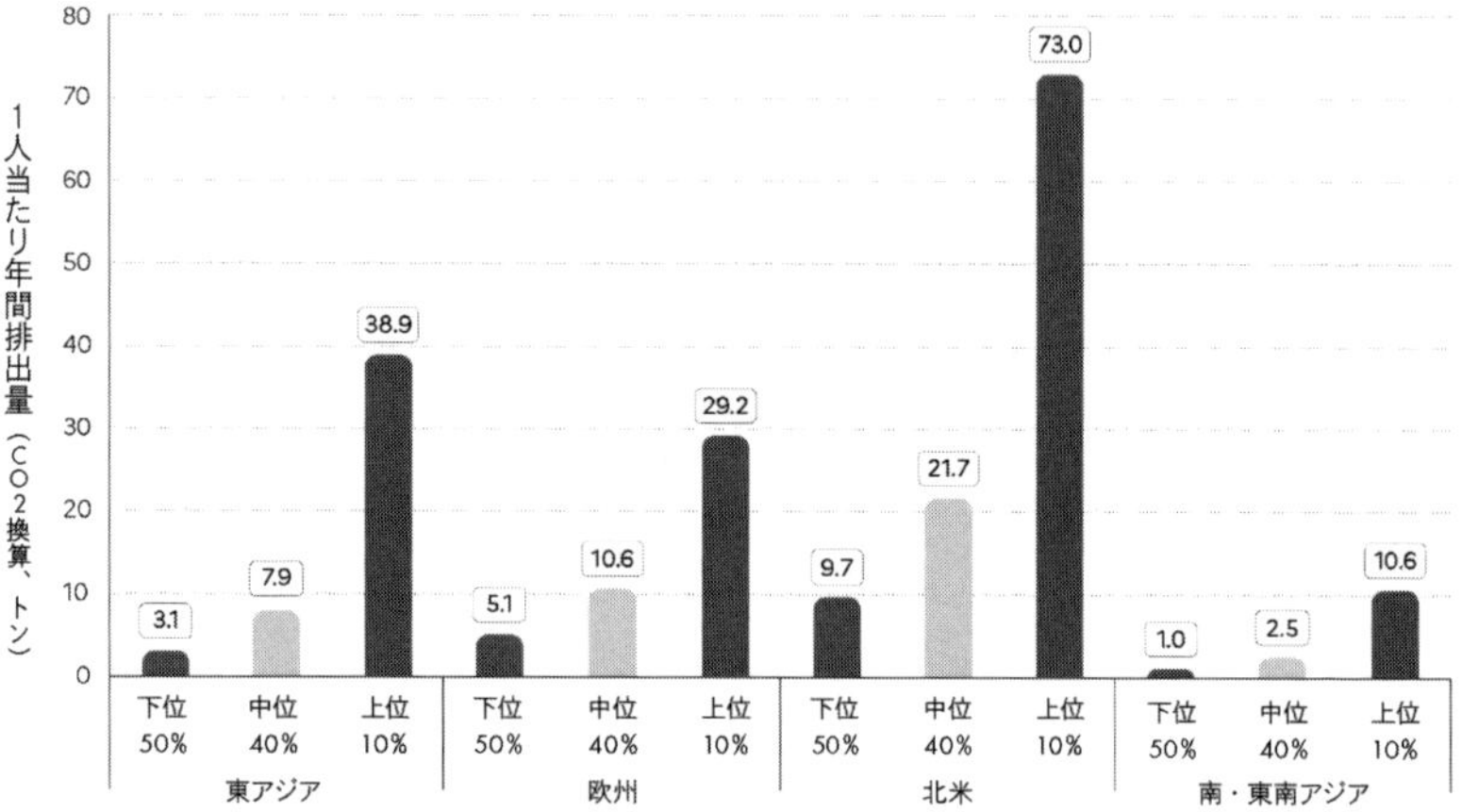

解説：1 人当たり排出量は、国内消費、官民の設備投資、他国からの財・サービスの輸入で構成される。推計モデルは納税データ、家計収支調査データを体系的に統合し構築した。世帯内での排出量は均等分布とした。

資料：wir2022.wid.world/methodology et Chancel (2021)

九トン、東アジアが三九トンだ。最上位一％に限ると、ヨーロッパで六〇トンを上回る。そしてアメリカでは上位一〇％がすでに七〇トンを上回っている。

この状況で、すべての人に同じ比率で排出削減を求めたら、不満が噴出することは火を見るよりもあきらかだ。四トンか五トンしか排出していない人に向かって、三〇トンあるいは七〇トン排出している人と同じだけ減らしなさいと誰が言えるだろう。排出削減策の一環としてエネルギー価格や燃料税を一律に引き上げるといった政策を導入するのも、広く支持を得られるとはとうてい思えない。むしろまったく逆に、そのような政策は黄色いベスト運動のような激しい抗議運動を引き起こすだけだろう。燃料税の引き上げは、最富裕層が多く消費するエネルギー（ジェット燃料はその代表格だ）を往々にして対象外とするのだから、なおのことだ。

したがって、排出量の最も多い人たちが最も高い比率で排出削減を行うという提案以外にこの難題を解決する方法はないと考えられる。この方法を採用する場合には、累進課税表のような二酸化炭素排出量の累進削減表を作成するなど、制度を整備しなければなるまい。同時に、所得格差と資産格差を大幅に縮めることも必要になる。

結論

過去のデータを収集し分析する作業を続けていけば、将来の変化を見通し、未来はどのような形をとりうるか予測するための情報を豊富に入手できるはずだ。とりあえず現時点では、あえて二つの仮説を立ててみたい。

第一に、気候変動の影響がこれまで以上に日常生活で実感できるようになったら、現在の経済システムに対する考え方が急激に変わる可能性は十分にある。ヨーロッパでも、それ以外の地域でも、きっとそうなるだろう。

第二に、不平等の問題は経済学者だけでは解決できない。不平等の歴史は穏やかな流れの大河でないことはご理解いただけたと思う。平等をめざすたくさんの戦いが繰り広げられ、勝利を収めてきたし、もちろんいまも戦うことができる。平等をめざす動きはのろく範囲も限られてはいるが、しかし現実に存在する。経済、財政、公的債務、富の配分といった問題は、一握りの経済学者や専門家の集団に任せるには重要すぎる。それに、彼ら専門家は往々にしてきわめて保守的だ。歴史に学ぶことや空間的な比較に視野を広げることを怠り、一つの解決策に囚われた狭い視野で問題を見ることが多い。いま必要なのは、社会科学の他の研究者の参画である。歴史学者、社会学者、政治学者、人類学者、民族学者たちが、技術面も含めてさきほど挙げた問題に取り組み、態度を表明することを期待する。問題を他人に丸投げしてはならない。経済や歴史の知識と知恵を共有することによって、より民主的な社会と権力のよりよい配分をめざす運動の重要な一翼を担うことができるし、またそうしなければならない。

ご清聴ありがとうございました。

二〇二二年三月一八日　講演録

参考文献

リュカ・シャンセル、トマ・ピケティ、エマニュエル・サエズ、ガブリエル・ズックマン他

『世界不平等レポート（2022年版）』

Chancel Lucas, Thomas Piketty, Emmanuel Saez, Gabriel Zucman et al. (coord.)

Rapport sur les inégalités mondiales 2022, Paris, éditions du Seuil/World Inequality Lab.

＊以下で閲覧・ダウンロードできる（英語・フランス語・スペイン語・ドイツ語・トルコ語、中国語版）：

https://wir2022.wid.world

トマ・ピケティ

『平等についての短い歴史』（未邦訳）

『資本とイデオロギー』（未邦訳）

Piketty, Thomas

2021 Une brève histoire de l'égalité, Paris, Éditions du Seuil.

2019 Capital et idéologie, Paris, Éditions du Seuil.

世界不平等データベース

https://wid.world/

講演資料

http://piketty.pse.ens.fr/files/Piketty2022SE.pdf

著作権表示

TABLE

ウジェーヌ・フライシュマン主催講演　講演録（すべて未邦訳）

マーシャル・サーリンズ『人類学の知恵』（１９９０年）
Marshall Sahlins, Les Lumières en anthropologie ?

リュック ド・ウーシュ『カリスマ性と絶対権力』（２００３年）
Luc De Heusch, Charisme et royauté

レイモン・ブードン『社会科学のための行動理論』（２００４年）
Raymond Boudon, Quelle théorie du comportement pour les sciences sociales ?

ジャン・レヴィ『古代中国におけるヒエラルキーと犠牲』（２００７年）
Jean Levi, Hiérarchie et sacrifice en Chine ancienne

ウィリアム・F・ハンクス『誰のために宗教を語るのか』（２００９年）
William F. Hanks, Pour qui parle la croix ?

フランソワーズ・エリチエ『兄弟姉妹関係：両親にとっての試金石』（２０１３年）
Françoise Héritier, Le rapport frère-sœur, pierre de touche de la parenté

自然《しぜん》、文化《ぶんか》、そして不平等《ふびょうどう》
——国際《こくさい》比較《ひかく》と歴史《れきし》の視点《してん》から

二〇二三年七月十日　第一刷

著　者　トマ・ピケティ
訳　者　村井《むらい》章子《あきこ》
発行者　大沼貴之
発行所　株式会社文藝春秋
〒102-8008　東京都千代田区紀尾井町三-二三
電　話　〇三-三二六五-一二一一
印刷所　理想社
製本所　加藤製本

万一、落丁乱丁があれば送料当社負担でお取替えいたします。小社製作部宛にお送りください。

定価はカバーに表示してあります。

ISBN 978-4-16-391725-2